傳家

夏

氣氛生活

水杉下的下午茶

歲時節慶

中元
中秋
命、相

夏

以食為天

麵點

吃老虎的人

中式早餐

竹

冰品

匠心手藝

繪畫

妝容與髮飾

友情禮物

夏之禮

夏天的花藝

齊家心語

給女兒的信～翅膀硬了

成語教育

談教育

君子之交與處世原則

生活札記

夏天菜園

辛香與粉

冰宴

草藥

家人溝通

中國人的生活智慧

蔡其南老師畫作〈夏宴〉

傳家之寶

余光中

　　自從上世紀初五四運動以來，中國人就一直在社會主義的終極理想與資本主義的急功近利之間，左顧右盼，飽受壓力。至於中國文化的悠久傳統，則與所謂封建混為一談，貶為陋習，在文革期間尤成反面教材。資本主義以時尚來促銷，社會主義則以政治正確來施壓。其實時尚冷熱多變，政治正確也似乎十年一改，作不得準的。蘇聯瓦解後，列寧格勒恢復舊名，改回聖彼得堡，而俄國人又回去上東正教堂了。在中國，革命變成改革，解放變成開放，不再輸出革命，改成輸出孔子了。

　　近幾年來，大陸順從民情，將清明、端午、中秋三大節慶改訂為公假。兩年前，屈原故鄉秭歸的縣長，早在端午的前兩個月來西子灣拜訪，請我務必去秭歸參加該年的祭屈盛典。我為此更新寫了第七首弔屈的詩，長86行，在典禮上朗誦。其實在此之前，我已經兩度應邀，去成都的杜甫草堂誦詩祭弔詩聖。

　　天下大勢，往往因政治而分，因文化而合。都江堰水利迄今，換過了多少朝代，但其為民之福不變。任祥女士編著的這一套四冊的鉅書《傳家》，以《中國人的生活智慧》為副題，就是要傳承歷久不絕的中華文化，但其方式不是徒託聖賢之空言，而是要落實於日常的生活，印證於靜態的觀念，動態的節慶，當能贏得雅俗共賞。書以「傳家」為名，就是希望她的讀者以家庭為人倫的單位，以傳統為家當，為遺產，一代代傳之後人，而其傳承，不止於修族譜，蓋祠堂，分家產，完正嫡，更在於要有歷史的擔當，民俗的共鳴，文化的意識。這樣的傳承，才能及於思想與感情。但是腦與心一起投入還不夠，因為民族的歸屬感還有一條捷徑，那便是入之於口而到於胃的味覺。所以書中「以食為天」的篇幅很大，而「生活札記」一章裏也時常會寫到廚灶的藝術。此外，「歲時節慶」、「齊家心語」等章還追述民俗的由來，人倫的意義。例如《秋》冊便解釋中元、中秋的習俗；而「齊家心語」一章更描寫了自己的雙親和公公，這便是當代的孝道了。

　　《傳家》四冊對古代傳統的解說實在包羅萬象，幾乎是當代家庭生活藝術的小百科全書，隨時查閱，必多驚喜；這對一家之長或家庭主婦真有幫助。例如春夏秋冬24節氣，例如中藥、占卜、風水、面相，以至於食物熱量、血壓紀錄、度量衡換算、出國旅行備忘錄等圖表，真是體貼入微。

　　任祥女士，青衣祭酒顧正秋的女兒，國際建築名家姚仁喜的妻子，走出自己一條溫馨的鄉愁之路。不愧是生活藝術的通人，家庭文化的美學家。

余光中

西元二〇一二年十一月

一粒芝麻，一個時代

龍應台

看起來，任祥是在寫花果菜蔬，雞鴨蟲魚。她告訴你：「在處理蛋的火候上，溫度的控制很重要：溫泉蛋七十度，炒蛋七十五度，都採用中火而不是高溫。」

慢讀一下，你發現，事實上，她在寫的，是生活的態度。

為了得到真正好的雞蛋，任祥開始自己養雞。兩隻蛋雞、兩隻土雞，作為科學對照組，開始在她陽明山上洋溢著現代建築風格的庭院中昂頭闊步，仰天呼嘯。不用人工飼料，她比照兩組雞的生蛋品質。

看起來，任祥是在寫知識的重要。她認為孩子們一定要認識屈原、陶淵明、王維、李白。她曾經認真地教幼小的孩子們背誦「唐詩三百首」和「三字經」。

事實上，她在寫的，是人，如何在生活中被「文化」自然而然地托起、養成，像湖水浮起小船，像荷葉托起水珠。

她記得家中一個七十多歲的幫傭老婆婆，從小是養女，一生艱苦，不曾識字。任祥描寫一個尋常的下午：

> 那時候，我每天教孩子背一句三字經。有一次背到「孝經通，四書熟，如六經，始可讀…」電話響了，我去接，等回來的時候，聽到阿婆用閩南語接著在唸「詩書易，禮春秋，號六經，當講求…」她看到我回來，不好意思的停下來，我熱切的鼓勵她繼續唸，不要停，於是她一口氣唸下去，一直唸到最後一句「口而誦，心而惟，朝於斯，夕於斯…」

看起來，任祥是在寫廚房裡的米麵粥粉，寫客廳裡的觥籌交錯，寫飯桌上的芝麻蒜皮。

她寫廚子老張，「做包子時，一小個麵糰在他手上擀成八九公分直徑，然後一雙手不停的翻摺…那包子雪白皮薄有勁道。」

她寫一九四九年因離亂來台的上海人吃大閘蟹，「技術考究的客人，吃完了蟹則會在盤子裡回敬主人一隻蝴蝶。——蟹的大鉗子，敲開來向外一拉會拉出大鉗子的一片骨頭，左右交錯一放，就是一隻蝴蝶的樣子。」

她寫燒餅的脆、油條的勁、飯糰的香和軟，更寫到芝麻曾經如何珍貴：

> 以前的早餐豆漿店，不時聽到拍桌子的聲音，不明底細的人以為有人在生氣呢。其實是因為以前的桌面都是用木板一片片併起來的，偏偏芝麻掉落到兩片木板之間的縫隙，用手沾不起來，又捨不得那一粒香酥的芝麻，所以就用力的拍兩下桌面，讓芝麻從縫隙間彈跳出來。

仔細用心讀，你發現，那麵藝超絕的山東廚子老張在離亂前曾是家鄉首富的公子；那年年煞有介事開展咬蟹儀式的上海人，其實不自覺地在藉由品蟹的儀式祭祀集體的鄉愁和失落；那捨不得一粒芝麻的劈啪拍桌聲，是走過荒涼和貧窮的時代的烙印。

原來任祥這套書，有兩個實相：表面那一層是衣食住行育樂、春夏秋冬五行，裡頭那一層，其實是生活的態度，是文化的承載，是時代最深刻、最鮮活、最摸得著、聞得到的聲音、氣息，和面貌。

一粒芝麻，一個時代。我看見任祥的慎重和敬畏。

西元二○一○年七月

文化的傳承與傳播 周明偉

　　如果不是親見，無論如何我也難以想像，這部飽蘸深厚中華文化底蘊的大書出自任祥女士之手。

　　任祥給我的最初印象是「洋派」的，談吐雅致，舉止得體，嫻靜而不失幽默。她出身臺灣世家，卻在美國求學生活多年，綿軟的普通話裏會不自覺帶出英文，有著良好的西方文化修養。因為有了這樣先入為主的印象，當她抱出一套四卷洋洋灑灑的繁體版《傳家》時，委實讓我感到驚訝。

　　長期在涉外領域工作，也讀過不少談及中國文化的中外書籍，但很少有書能像《傳家》一樣使我產生如此多的讚嘆。

　　這是一套恢弘大氣的書，以四時為框架，以文化為脈絡，幾乎包羅萬象地談及節氣、藝術、飲食、處世、禮節、養生這些中國人日常生活的片段，處處蘊含著流傳千百年的生活智慧。這是一套雅致精美的書，青黑木盒、暖色書封、銅版紙張、精美配圖，無不透出精緻的用心和盡善盡美的理念。這是一套飽含感情的書，有親情、有友情、有愛情，有著對中國文化價值的深刻理解與傳承文化的執著追求。在《傳家》中，悠久的中國文化，不只在文人墨客吟歌抒懷的筆下，也不只在供人瞻仰追憶的博物館中，而是深深植根于中國人每一天、每一季、每一年的生活，具體、生動、形象、可愛，不斷汲取時間的養分，歷久彌新。

　　任祥沒有創造任何文化的概念，她只是以日常生活作為載體，將傳統文化以新的形式復原，以簡單解讀複雜，使文化成為看得到、摸得著、學得到的內容，從而具有更加鮮活的生命力。正是書中一個個構思巧妙、獨具匠心的單元，展示了中國人生活文化的百科，蘊含了無盡的生活智慧與樂趣。

　　身處經濟社會快速發展、多元文明衝突與交融的時代，文化的傳承與傳播是每一個民族不可回避的命題。我們需要《傳家》這樣一套書，從每個家庭出發，講述中華文化的厚重與博大，繼承傳統、傳承家學，教育子女珍惜傳統價值、樹立文化自信，承擔起一代代人的責任。我們需要這樣一本書，向世界展示中國人充滿涵養的生活藝術，消除文化的偏見與隔閡，傳播源遠流長的中華文明——在這個意義上，任祥不僅

僅在傳承、傳播中國人生活中的美與智慧，也為中西文化交流呈現了一幅寫真的字畫。

　　這部任祥女士歷時五年，跑遍大江南北，殫精竭慮、披沙揀金而著就的九公斤的大書，是一位母親對兒女娓娓道來的生活百科與持家之道，是一位長者送給珍視中華文化智慧的讀者的傳家之寶，更是一位長期浸潤西方文明的東方女性對民族文化的理解與傳承。

　　我敬佩她執著的精神，敬佩她為中華文化的傳承與傳播所做的努力。《傳家》中文簡體版與繁體版再版之問世，我願意為之序。

周明偉

西元二〇一二年十一月

任祥福慧傳家

蔣　勳

2009年除夕跨年，朋友邀看大樓煙火，巧遇姚仁喜、任祥。

任祥頸項間戴一細金屬絲嵌碗豆大淺灰寶石的飾品，很纖巧細緻，好像貼著皮膚，是身體的一部分。

我說：「是自己做的？」

她微笑點點頭，一定是自己做的，才會有的得意滿足。

我知道她做寶石金工一段時間，有自己的工作室，有時不眠不休，做金屬拋光。

她頸項上的金屬細絲飾品，使我想起印度的泰姬瑪哈陵。好像是毫無因果的聯想。但是，在泰姬瑪哈陵的初日光線裡，那些裁切成極細極細的彩色石頭鑲拼，婉轉，曲繞，如絲如線，糾纏連綿，使人不相信那是石頭。我想到「繞指柔」那三個字，原來是一種柔軟，可以使人放下一切嗔痴，低頭合十敬拜。

印度的美學裡有一種柔軟，最冰冷的材料可以柔軟，最傲慢的身體可以柔軟，最堅硬的心也可以柔軟。

我看著任祥頸間與她肉身貼合的飾品，覺得眾人煙火等待，像阿姜塔洞窟裡一幕壁畫。

我說：「任祥，妳前世大概在印度。」

姚仁喜聽到，用他越來越「忍波切」的微笑眼睛看著我，指著任祥說：「她的前世離我的前世不遠。」

跨年的除夕夜晚，時間在過去，我們在等待時間過去，在我們自己的肉身中過去。

佛家說「宿慧」，是好幾世累積的智慧。

我總感覺到「宿慧」，是身體裡的某一種基因，現代科學查證不出來的基因。

也許在泰姬瑪哈陵鑲嵌過一塊牆的手，那裁切石頭成細絲的手，每一個動作的記憶，就留在身體裡，會跟著身體，流轉在不同的時間空間。有時候記憶像寂寂夜空，什麼也看不見；有時候忽然在寂寂夜空裡一霎那噴放出煙火，如夢如幻，彩色繽紛，華麗燦爛，如見前世，一霎時使人熱淚盈眶。

任祥的母親顧正秋老師是我敬仰的前輩，顧老師的聲音是一種「宿慧」，顧老師的「鎖麟囊」唱腔使我在一個晚上聽到好幾世的繁華與蒼涼。

「宿慧」是可以讓人有瞬間的領悟的，領悟的霎那，真如煙火，幻如煙火，常常是悲欣交集，不知是喜悅，還是感傷。

任祥家有一株肖楠，主樹粗壯，枝幹長伸，葉葉覆蓋交錯，看到就想在樹下靜坐躺臥。樹可以有現世的庇祐，是酷熱烈日下人的庇蔭，是眾禽鳥在枝葉間的依託，是蟲蟻菌菇的攀附繁衍之所。

一顆樹，是可以「不生不滅」的。

在泥蓮禪河岸的菩提迦耶看到那棵菩提樹，想到樹也是有「宿慧」的，還是會低頭合十敬拜。

任祥是帶著「宿慧」來此生的，所以可以使身邊朋友領悟許多事。

我喜歡任祥極認真地談「賈寶玉」，極認真地談她做的金工，極認真地為朋友海芋花田裡的房子找可以搭配的陶盆和椅墊。

任祥的「宿慧」，看起來大多不是大事，體現在日常一般食、衣、住、行之中，是在生活間小小的細節裡做好一些認真的「小事」。

「宿慧」是累世的記憶，領悟的時候，或許會帶苦楚哀傷。但是，「宿慧」如果是傳承在平凡生活中，這樣的「宿慧」，平實自然，是真正的「福慧」。

看到任祥編著的「傳家」，想起她每年送的禮物。

有的是一支蠟燭，上面用手工浮貼著唐詩，朋友來家中坐，燭光照亮屋內一角，大家都圍坐燭光下。

有時候是一塊手工肥皂，帶著香茅草茶樹的清香，是我沐浴時很深的觸覺與嗅覺記憶。

有的時候是一方像黃水晶材質的印，上面有手工精細纏的鈕結，我就繫在腰帶上，帶去給學生看。

任祥分享了許多「福慧」。

　　想起一群朋友聚會，任祥忽然帶著三十盒炒麵出現，大家看到盒子先「哇
——」一聲讚嘆。盒子是細竹篾編的手工盛籃，有一條三指寬藍染花布束腰，一
條正紅色繫帶綁著。這樣的盒子吃完炒麵當然會帶回家，有朋友來，就會拿出來
獻寶。

　　我想，「傳家」，傳的其實是就是這樣的「宿慧」，宿世累積的智慧，而且
因為是在眾生生活的平實中傳承累積，所以是可以安穩於人間的「福慧」。

　　任祥花了不少時間整理傳統「宿慧」裡的點點滴滴，一杯茶，一碗湯圓，一
盤拌飯，一片台灣紅花布，一串手鐲，都是可以在現代人生活中繼續體現傳承的
「宿慧」，這命名為「傳家」的集子在2010年春天出版，相信有著我們共同跨年
在煙火裡的祝願祈福，祝福任祥，祝福朋友們，都可以「福慧傳家」。

2010年1月12日八里　蔣勳寫於淡水河畔

夏序～我與阿祥走過夏天

　　阿祥是道地的草山人，成長於台北郊外的陽明山農家，從小對自然的色彩與光影的感覺特別敏銳。許多人都會唱〈甜蜜的家庭〉這首歌，其中那句「雖然沒有大廳堂，春蘭秋桂常飄香」，正是阿祥童年生活的最佳寫照。

　　阿祥後來從事攝影工作，生活範圍更廣泛，涉獵的題材多元，作品豐富而自在、溫馨。我認識阿祥後就發現他性格沉穩，見了人總是溫和的笑著，一看就知道是個生活幸福的人。阿祥的妻子古碧玲從事媒體工作多年，左腦了解台灣財經界動態，右腦了解時尚天地、有機種植與精油養生，是一位幹練的生活達人。這也使阿祥在純樸之外增添了不少精緻的品味。做了父親後，他對孩子的愛心流露無遺，作品也更寬容而溫暖。

　　我與阿祥在婚姻上有個相近的融合經驗：他是台灣人娶外省太太，我是外省人嫁台灣先生。我想這也是我們合作愉快而且很有默契的原因。碧玲從東門或南門市場買回阿祥認為怪怪的菜，恰就是我想找來拍的。他來看我的有機菜園備感親切，不用我多說就喀滋喀滋拍個不停。我對於傳統台灣文化了解不多，阿祥總像個老師為我詳細的解說。在解說台灣的老東西時，他的臉上總流露著對這塊土地的情感；在本套書的照片中，他也細緻的反映了這些深厚的感情。以下述及的夏日種種，都有阿祥的細心參與及鏡頭的詮釋。

　　夏天是燥熱的季節，我認為海濱的沙灘可以塑造歡愉的夏天情境，刨冰則反映了台灣夏季最典型的消暑景象。為了找到合適的拍攝場景，我曾多次開車帶著賈寶玉到台灣東邊的海岸線踏勘。少有污染的東台灣海濱，保留著自然原始的美麗景觀，宜蘭的粉鳥林有個小內灣可以讓賈寶玉安全的玩水，我也可以安心的搭景策畫，所以最後選定粉鳥林。

　　為了拍這個場景，前前後後費了不少心力。所有拍照要用的道具，都是用一部大卡車與三部轎車載去的。我還特別買了兩個平日用不到的休旅冰箱，免得冰

塊與枝仔冰溶化。拍照的前一晚，我在家灌了兩百個水球，希望藉此讓場景點綴得更富風情。次日充滿歡悅想像的載上車出發，沒想到它們在兩個半小時的路程中一個接一個破裂，到達粉鳥林下車時，我像從澡缸爬出來一樣的狼狽。

好不容易拍完照，大卡車不慎陷入沙堆，又是一陣慌亂。最糟的是我中暑了，回家後發燒昏睡三天，家人都給嚇壞了。好在阿祥拍出來的照片效果非常好，我一看到就高興得病都好了。

從粉鳥林沙灘鋪展到海裡的那一大片藍染花布，是以八十種花色圖案縫接而成的，使這來自南通的質樸藝術顯得更優雅而大氣。〈藍呀藍〉這首小詩，呈現我對這母親般的布料的讚美。

夏天最重要的「節慶」是端午節和七夕情人節。不同的端午粽，反映了地方飲食文化的特色，我們在端午節這天進行拍攝的工作，巧的是，中午十二點立蛋，真的一下子就立起來了。七夕有著中國最著名的愛情神話，傳說著牛郎織女的永恆相思。我以〈七夕感懷〉略談一下隔代間的愛情觀。農民曆介紹每年家中長者要到廟裡去安太歲的太歲、古代農業社會勸農的春牛芒神；繪製的手法試驗了很多種方式，採用了很多本黃曆模仿而成。節氣圖，是把二十四節氣與七十二候全部依照字面畫了出來，也把與我們最貼切的生活換季做了圖示說明。〈二十四節氣〉，則道出我對現代人的生活無度與自然環境改變的省思。

在「以食為天」篇，麥所衍生的食物文化，也和米一樣豐富。有發酵與蓬鬆的手法探討，生麵，發麵，燙麵，不同的創意產生各種精緻可口的麵食，並以表格的方式呈現這些麵食的輪廓。麵筋則是最了不起的創意，使我們的素食比其他國家更好吃。〈吃老虎的人〉，是我以小時候常去一位長輩家碰到的一位精於麵食的老張所寫的，是獻給一九四九年從大陸遷移台灣的長者們。〈中式早餐〉，介紹了燒餅油條、清粥小菜與港式飲茶。〈竹與中國人〉，以竹來表達中國文人的心境，也介紹了台灣在地的竹及多種竹製器具。〈台灣的冰品文化〉介紹台灣

人記憶中的枝仔冰，青草茶，彈珠汽水，五花八門的刨冰，相信挑起了很多人的甜美回憶。我還把最喜歡的蜜餞四果冰做成可以吃的裝置藝術，用糖水做成的冰碗，可以連碗都吃個精光。我也把記憶中的枝仔冰重新賦予了現代的造型，很多人都勸我變成商品來販售呢！

在「匠心手藝」篇，耗費近半年的時間，整理了著名畫作自西漢馬王堆出土的帛畫，到清朝齊白石的畫作，依序排列，以及自六朝以來的集稱或畫派，也把中式畫作的裱褙方式圖繪介紹出來。「妝容與髮飾」介紹了有歷史記載以來的畫眉，唇與化妝的演變。二十四個中國娃娃的髮飾，是參考幾十本史料文字與照片，從中比較挑選進而創造出來的。六十個髮飾品與鎖片的曲線優美，是我參考典籍裡的圖像重新設計，再請插畫家葉子明繪出線條的層次與對比。這些都讓我們對中國古代女性的美有著無盡的幻想。古代經典裡也有女人保養的各種秘方，我謄寫了一部分，配以一張骨董洗臉檯，說明我們的化妝品、保養品、護髮、沐浴乳、香水用品等的歷史。慈禧太后的美顏術，相信是許多人好奇的，我特別挑出來配上材料，做了清楚的說明。做了這個章節，我才知道中國駐顏術的歷史這般完整而豐富，光是清朝宮廷的秘方，就足以發展成今天的美體小舖加上克莉絲汀戴兒。

「友情禮物」篇介紹創意與做法，有很多多重含意的禮品介紹；「珍誼小廚，大作文章」，是三十個朋友送給即將結婚的女友的家傳食譜；送給新人永久賞期結婚蛋糕的做法；多寶格……禮物。多年來，我時常被朋友們委託設計與製作禮物，選出來的這幾款，都結合了祝福與幽默，也有女友間的默契。其中精緻且富文藝氣息的製作圖樣，提供讀者自己動手製作時參考。

夏天的禮物，有藍印花布做的各種禮物，以及喜鵲禮物，穀倉禮物等，都是配合端午節送的禮物。用紙張包茶葉，也是很好的送禮構想。喜鵲的圖稿，是經歷很多回合的製作才打樣成功的；穀倉的花窗，則是我們公司在設計故宮博物院旁的餐廳時，辦公室長滿了一比一的花窗樣本，最後則成了我這穀倉花窗的創意來源。

「颱風後的花藝」，展現了再生之美。颱風每年夏天為台灣帶來災害，我利用被打落的樹枝作為花藝材料；原本想做個鳥巢，但後來插上小果子，出現了很有趣

的構圖。另外一款以黃色為主軸的花藝，是我夏天請客時常插的色系，這一組投入式的插法，木本類全為台灣山區常見的植物，很多姿態都是為了山區層層疊疊要見到陽光而展現的線條，顯示了台灣原生與再生植物的瀟灑個性。

「齊家心語」篇，給女兒的信是〈翅膀硬了〉，寫台灣藍鵲來我家楠木築巢生子的驚喜，也寫我對女兒成長離家的不捨，穿插其間的則是嘮叨的母親對女兒點點滴滴的愛心。

「成語與諺語教育」，是中國人從悠久的生活與歷史的傳承中領悟而出的生活哲理，短短幾個字就能精確點出一種情境或深意。多年來，我帶著歡喜與讚嘆的心情，參考台灣的教育體系，從小學到高中畢業每一年學到的成語、世說新語等，從中選了較為平易親切的成語七千多個，以寫人、事、物、事理與常用提辭的手法來分類，做成一個易於翻閱的小冊子；也穿插了個諺語於其中。但是礙於篇幅，本書無法全數刊載。〈天上的婆婆～談教育〉，是由仁喜的家人身上看到我素未謀面的婆婆，並探討她的教育方式。〈君子之交與處世原則〉則是寫給年輕的晚輩，希望他們出社會以前能學習建立一套自己的處世理念，以迎接接踵而來的判斷、決策與把持的原則。

「生活札記」篇，介紹夏天種植的根莖類蔬菜，〈我的地瓜〉一文，是我夏季菜園的實際體會。廚房篇以圖文方式介紹中國廚房裡常用的辛香料與粉類，是百科全書。〈民間保健——養身、食療與草藥〉則介紹合適的四季飲食，給男人、女人、老人、少年的食療方子；幾款常用的煲湯方子，還有民間青草藥，整理出台灣常用的草藥有近百種之多。夏天的宴席，安排了一場美麗的海邊冰宴派對。家計篇，則設計了一些親切幽默實用的道具，希望能誘發家人之間的良性溝通與相互鼓勵的習慣。

姚任祥

西元二〇一二年十二月

氣氣生活

氣氛生活

藍色海岸 的清涼

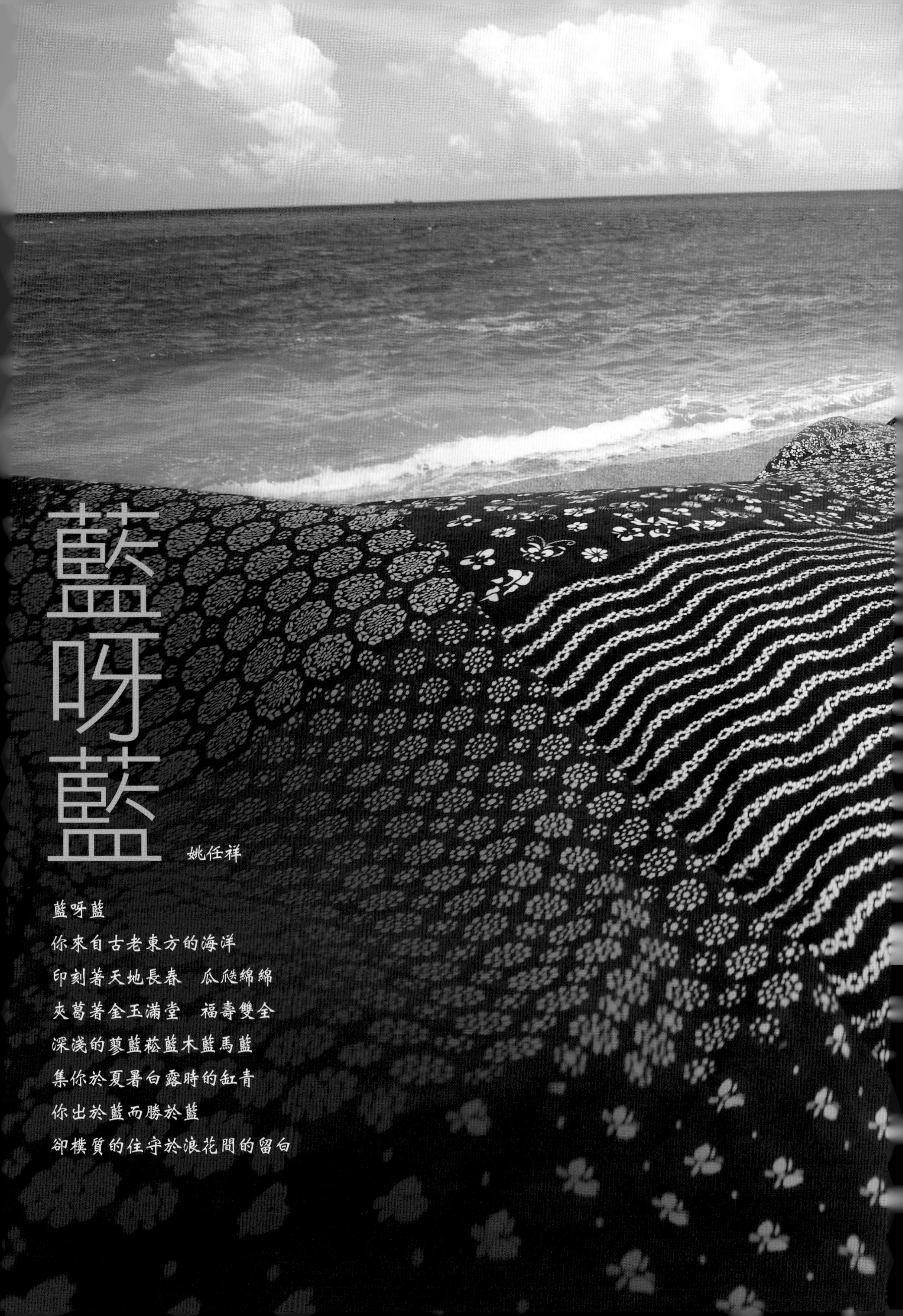

藍呀藍

姚任祥

藍呀藍
你來自古老東方的海洋
印刻著天地長春　瓜瓞綿綿
夾葛著金玉滿堂　福壽雙全
深淺的蓼藍菘藍木藍馬藍
集你於夏暑白露時的缸青
你出於藍而勝於藍
卻樸質的住守於浪花間的留白

歲時節慶

端午

農曆五月初五是端午節，五月又稱「午月」，「端」則有「開端」、「初」之意。

農曆五月初五是端午節，又有「端陽節」、「重五節」、「五月節」等稱謂。因為「端」有「開端」、「初」之意，加上農曆以天干紀年，五月又稱「午月」，因此這一天逐漸演變為「端午」。

　　根據歷史記載，由於五月初五時至夏季，蚊蟲疫疾開始橫生，被視為「惡日」，所以端午節很多的習俗都是為了除疫避厄。不過端午節最具代表的習俗：龍舟競渡、包粽子，它們的起源則有不同的說法。

　　提到端午節，大家最耳熟能詳的故事，就是為了紀念戰國時代楚國的愛國詩人屈原。屈原本來是楚懷王的大臣，力主富國強兵、連齊抗秦，一度頗受重用，但因此在朝中樹敵，不斷被進讒言，後來反遭流放。眼見朝政敗壞，屈原憂國憂民，寫出《離騷》、《九歌》、《天問》等膾炙人口的楚辭；後來秦國攻陷楚國首都，屈原痛不欲生，抱石投汨羅江而死。

　　傳說屈原投江自盡後，楚國漁民紛紛駛船來回於汨羅江打撈，為了怕水中魚蝦啃食屈原的遺體，不但敲鑼打鼓，還把飯糰等食物投入江中餵食。後來為了祭祀屈原，又怕蛟龍把飯糰吃掉，於是人們把煮好的糯米飯放入竹筒後再投入江中；其後逐漸演變用葉包成粽子。這就是龍舟競渡與包粽子的由來。

　　不過根據南朝宗懍所著的《荊楚歲時記》記載，五月初五競渡是東吳地區為了紀念春秋時代吳國的忠臣伍子胥而有的習俗。伍子胥屢勸吳王夫差要滅掉越國，但夫差聽不進去，反而賜寶劍要他自盡；伍子胥向旁人說：「死後把我的眼睛掛在東門上，我要親眼看到越國軍隊入城滅吳」，於是悲憤刎劍而死。夫差大怒，還把他的遺體裝入皮革，於五月初五投入錢塘江。伍子胥後來被尊為河神，他比屈原還早了三百年，而且屈原在《九歌》也曾寫到划龍舟的活動。

　　知名學者聞一多則在論文〈端午考〉指出，五月初五賽龍舟始於古代越民族的圖騰祭；這項說法也已獲得許多出土文物的佐證。因此，端午節的由來其實應該比春秋時代還要早，不過屈原的感人故事傳頌後世，早已成為端午節最具象徵的代表人物，端午節當天也是我國公認的詩人節。

賽龍舟

端午節的主要習俗有：

龍舟競渡：從古代的祭祀儀式，逐漸演變為最重要的民俗競技活動，在中國盛行於南方濱河地區。由於台灣多福建移民，因此早在清朝乾隆二十九年（西元一七六四年），官方就開始固定舉辦大型龍舟競渡；台灣各主要河川幾乎都有賽龍舟。

龍舟競渡有相當隆重的儀式，龍舟下水前必須先在五月初一舉行迎龍頭、點睛的儀式，下水前還要先請水神、接龍船、祭江才開始比賽；賽後還要舉行謝江儀式，感謝水神庇佑。

傳統龍舟競渡為兩船競賽，分左右水道，船首有兩人，一人搶旗，一人敲鑼或打鼓，船尾則有一人把舵；其它的選手分坐在船的兩側划船。號聲響起後，兩隊就奮力向前划，誰先搶得終點浮標上的旗幟，就獲得勝利。近年龍舟競渡在兩岸的大力推廣下，已經發展為國際競賽項目，無論比賽人數與船體都有統一的規定，不過改採多舟一起競賽。

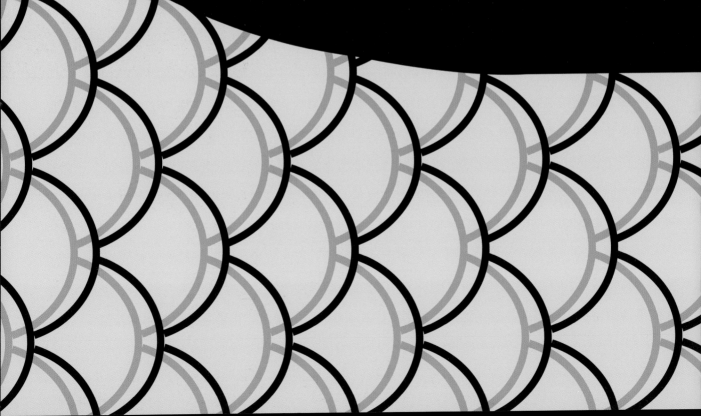

　　包粽子：粽子始於春秋時代的「角黍」，用菰葉（茭白葉）包黍米成牛角狀，到了東漢末年開始有現在最普遍的四角錐形粽。粽子在晉朝正式成為端午節的主食，其後粽葉、粽餡與粽子的形狀因地不同，有了五花八門的發展，種類與口味極為繁多。

　　一般而言，中國北方偏愛簡單的甜粽，不喜歡吃鹹粽；南方則是甜、鹹都有豐富的口味。台灣光是本省粽就區分為北部粽、中部粽、南部粽以及客家粽，做法、餡料都有區別，而且除了鹹粽、甜粽以外，還有鹼粽以及客家特有的粄粽。外省粽則以廣東粽以及浙江湖州粽為主流。

　　掛蒲艾：菖蒲是水生草本植物，因其形如劍，又稱為「劍草」，象徵驅魔，是端午的代表性植物；它有特殊芳香，具鎮咳、鎮靜等多種療效。艾草也具有香氣，它在傳統中醫使用更為廣泛，針灸、拔火罐都以艾草作為燃料，還具有清熱、解毒、活血、利尿等多種療效，因此別名「醫草」。

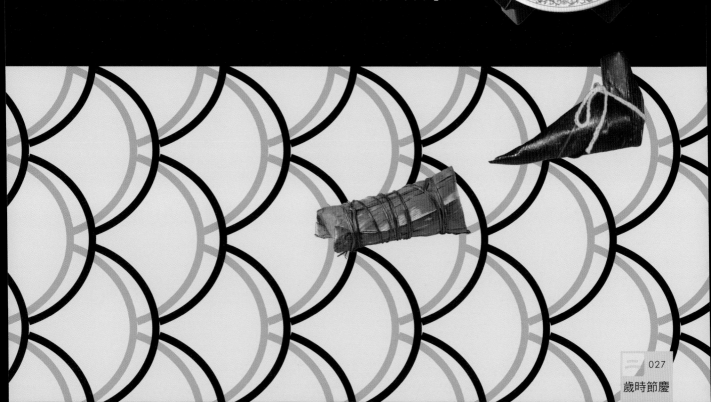

為了除厄避疫，家戶在端午節都會灑掃庭院，並把菖蒲與艾草綁成一束，懸掛於大門旁或屋簷下；比較講究的還會加上榕樹枝葉、蒜頭、山丹及榴花，與蒲艾並稱為「天中五端」。

雄黃酒：「雄黃」是一種含有三硫化二砷的礦物，自古就用於消毒。端午節的時候，人們會把少量雄黃浸泡於酒裏，製成雄黃酒然後飲用，認為可以防毒驅病。流傳至今，許多民眾仍會把雄黃酒灑在家裏四周，並在額頭上用雄黃酒畫「王」字，稱為「畫額」以剋五毒。

佩香包：端午節製作香包給小孩子佩戴以象徵吉祥、避邪，這個習俗起源已不可考；不過早在漢朝的《禮記》就有記載古人流行佩掛香包，可使人醒腦、神清氣爽。

香包是用各色綢布製成囊狀，裡面放置香料後，用針線縫合，再串以布繩，繫掛於頸間。傳統香包只有老虎和公雞兩種造型，老虎是取其為百獸之王；公雞則是象徵雞會吃蟲。但現代的香包，香料大多不講究，一般只放檀香，但外觀卻是爭奇鬥豔，而且各種材質都有。

午時水：台灣過端午節還有打「午時水」的風俗，也就是在端午節中午十二時打井水出來放入甕裏，然後擺在神明廳或客廳內的陰涼處就可永久保存，又稱為「陽水」。午時水拿來沐浴可以美容、抗百毒、解犯沖；還可拿來飲用，據稱可消暑、止瀉。

立蛋：相傳端午節正午因為陽氣最重，可以把雞蛋立起來，只要成功就可以為來年帶來好運；因此「立蛋」一直都是端午節應景的餘興節目。事實上這是沒有科學根據的，平常時候只要有耐心，還是可以把雞蛋立起來。

端午節製作香包給小孩子佩戴以象徵吉祥、避邪，早在漢朝的《禮記》就有記載古人流行佩掛香包，可使人醒腦、神清氣爽。

香包

粽子

端午節家家戶戶一定吃粽子，包粽子是家庭主婦的重頭戲。小時候有一次端午節前去拜訪一位住在集合公寓的長輩，家家戶戶把自己包好的粽子懸掛於中庭，一串一串沿著整個迴廊，很有過節的熱鬧景緻。我們家的粽子都是長長的，那個午後的陽光照著的粽子，卻是塔形，尖錐形，正三角形，圓柱形，枕頭形，以及小巧可愛的鹼粽……，在菜市場都看不到那樣壯觀的景緻。原來那集合公寓住著不同省份的人，他們所包的粽子形狀是我從沒看過的，讓我充滿好奇且留下深刻印象。

中國各省的粽子，內餡和外型都可能不同。唐代以前就記載了粽子又稱角黍，造型繁多，還有一種叫九子糉的，但不知是何種造型。現在也有人包粽子不用繩子綁，而是別上一個小竹叉，在造型上是很創新且實用的設計。

台灣的粽子大多用乾竹葉包，黃金色的是桂竹成熟脫落的外殼叫桂竹籜，青綠色的則是麻竹葉。也有人怕沾黏與求取清香而兩種都用的。另外也有少數人用荷葉、香蕉葉、月桃葉、刺桐葉、蘆兜葉、葦葉。

在春天的米食篇，已詳盡介紹了不同的粽子。粽子可大區分成北方粽、江浙粽、廣東粽、台灣粽、客家粽。北方粽都是甜的口味，沾糖吃的；江浙粽的餡料為單純的五花肉或豆沙棗泥；廣東粽尺寸比較大，餡料有五花肉、火腿、叉燒肉、蛋黃、栗子、香菇、蝦米等。台灣北部粽的糯米要先炒過，餡料是豬肉、香菇、蝦米、蛋黃；台灣南部粽則配以大量的花生、豬肉、香菇、栗子、蝦仁、乾魷魚、蛋黃，有時會選用月桃葉來包，吃的時候還沾花生粉或醬料。台灣還有一種鹼粽，冰過沾糖吃特別有味。客家人的粄粽類似閩南人的粿粽，把糯米與在來米泡軟磨成米漿，瀝乾揉搓成米糰後再包入肉末、蝦米、蘿蔔乾、豆乾等，是一種看不到米粒的粽子。

粽子所包的餡料，只有江浙粽比較單純，其他都很複雜。吃慣了江浙口味的人，則不喜歡複雜的餡料，這是先入為主的味覺。

早年農業社會生活清苦，逢年過節才打打牙祭補補身，所以粽子的餡料格外豐富。但現在每天大魚大肉的，粽子的餡料豐富油脂過高，反而危害身體。此外，台灣的衛生署已明文規定，做鹼粽時增加Q度的「硼砂」改由「三偏磷酸鈉」代替；其實兩者都是有害身體的非天然物質，不宜多吃。所以現代人過端午節，粽子的內容最好做些調整。譬如用蒸熟的五穀糙米替代糯米，配一些薏仁，不要放蛋黃，多用豆乾蘿蔔乾等替代油脂高的餡料。也可用紫米、北菇、南瓜、栗子、蓮子與山藥等，包出自然風味的養生粽。儘量不要再沾醬淋料，以免養成口味過重的習慣。以下為包粽子的手法。

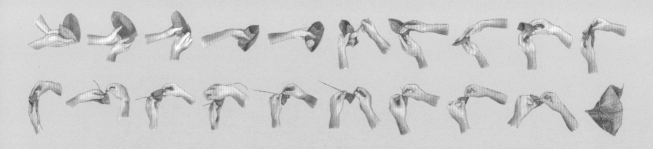

七夕

農曆七月七日的七夕節，起源於牛郎與織女之間淒美的**愛情神話**，是中國人最浪漫的傳統節日。

農曆七月七日的七夕節，又稱「乞巧節」、「女兒節」，是中國人最浪漫的傳統節日，也是難得以女性為主體的節慶。

七夕起源於牛郎與織女之間淒美動人的愛情神話，牛郎、織女早在周朝《詩經》就有記載，不過當時老祖先看到的是銀河兩端，各有牽牛、織女兩個星座遙遙相對；雖然已經神格化，但還沒有發展成為愛情故事。

根據北宋《太平御覽》記載，七月正值秋收，「七」又是陽數，因此七月七日自漢代以後成為慶賀秋收的好日子，並開始有了拜織女「乞巧」的習俗。到了魏晉南北朝時代，牛郎、織女兩個星座，已經從戀愛進而結為夫妻，並只能在每年的七夕相會，七夕節至此也發展成形。

南朝梁殷芸的《小說》就寫道：「天河之東有織女，天帝之子也。年年機杼勞役，織成雲錦天衣，容貌不暇整。帝憐其獨處，許嫁河西牽牛郎，嫁後遂廢織紝。天帝怒，責令歸河東，但使一年一度會。」

牛郎與織女的愛情故事傳誦兩千多年，發展出許多版本。台灣因為以前是農業社會，牛郎與織女的故事情節，就頗有警惕年輕男女談情說愛之餘，仍要以勤奮工作為重。故事是說，織女是玉皇大帝的第七位公主，不但長得最漂亮，還有一雙巧手，每天為天廷編織雲錦，也就是美麗的雲彩；牛郎則是牧牛耕種的男神。

玉皇大帝因為看到牛郎工作勤奮，就把織女許配給他，但是兩人婚後因為耽於戀愛而逐漸廢馳工作，於是便派喜鵲轉告二人，今後要每隔七天才可以相聚一次，其餘日子都要專心工作；但粗心大意的喜鵲卻傳錯話，跟牛郎、織女說每天可以相聚一次；兩人因此更為恩愛，把工作拋在一旁。

玉皇大帝得知後大為震怒，下令牛郎、織女今後每年七月七日才能相聚一次，他並用髮簪在天空劃出一道境界，把兩人分隔東西，那道境界就是銀河。為了處罰粗心的喜鵲，玉皇大帝就命令喜鵲在每年七月七日的夜晚召集同類，在銀河上搭起一座鵲橋，讓牛郎、織女可以相聚。從此，牛郎、織女每年只能在天空的兩端遙望，等到七夕才能相會互訴衷情。

七夕的愛情故事反映在節慶的習俗上，並不像現代情人節那般的男歡女愛，反而是以少女為主體，她們在七夕當晚向織女祭拜，祈求自己也能擁有一雙靈活的巧手，這就是「乞巧」。

雖然各地習俗不盡相同，但在七夕都會舉行「乞巧」的儀式，南朝梁宗懍《荊楚歲時記》就記載：「是夕，人家婦女結綵縷穿七孔針，或以金銀鍮石為針。陳瓜果於庭中，以乞巧，有喜子網於瓜上，則以為符應。」因此，「穿針乞巧」是必有的儀式，少女拿彩線和七根針，只要順利穿過就是巧手了。

此外，乞巧會還有發展出「投針驗巧」、「喜蛛應巧」和「巧菜秀巧」等儀式。除了穿針線，少女們也會做手工藝或燒菜比巧手；供奉給織女的瓜果，如果放到隔天有蜘蛛結網，那就代表織女應驗了。

織女在台灣被稱為「七娘媽」，七夕除了要拜七娘媽乞巧，相傳「床母」的生日也是七月七日，因此所有十六歲以下的孩童，傍晚以後都要在床前燒金紙，並以雞酒油飯供奉床母，感謝祂的保佑。

在台南，因為七娘媽被視為孩童的保護神，所以七夕還有「七娘媽生，做十六歲」的特殊習俗。凡是當年剛好滿十六歲，就要在七夕舉行「脫絭」的儀式，祭拜七娘媽以後，先鑽過紙糊的「七娘媽亭」，再把七娘媽亭燒掉，這樣就是「出婆祖間」算成年了。

中國人逢年過節總少不了吃的，七夕節也有特殊的應景食品：

巧果：巧果是「乞巧果子」的簡稱，顧名思義，它是七夕最具代表性的食品；北宋孟元老所著的《東京夢華錄》，就有詳述巧果的做法與各種口味，書中還指出，當時人們如果買一斤的巧果，會把半斤投到屋上給織女享用，剩下才分食。

巧果的基本材料是油、麵粉、糖，做法是先把白糖放入鍋中溶為糖漿，然後和入麵粉，一般會加芝麻更香。一起拌勻後，先在工作台灑點麵粉以免沾黏，再以麵棍擀成薄皮，越薄會越好吃。接著再切割折成梭形，然後放入油鍋炸到色呈金黃即可起鍋，等到冷卻後再食用，真是香脆可口極了。

軟粿：軟粿是台灣在七夕祭拜七娘媽的特有食品，以糯米搓成，與湯圓極為相近，但要大一兩倍；搓好後要先壓成扁圓形，中間再用大拇指壓出一個凹。為什麼呢？因為牛郎、織女一年才見一次面，所以才以象徵一家團圓的湯圓為基礎，中間的凹則是給織女裝眼淚用的。所以軟粿還有一個別名叫做「不情願粿」，因為牛郎、織女是被迫拆散的。

我們的老祖先創造出七夕這麼浪漫又饒富趣味的節慶，可惜的是傳到了現代，大多數年輕人只過西方情人節，七夕也淪為商業炒作的節日，傳統的習俗反而式微了。

七夕　　楊朴

未會牽牛意若何
須要織女弄金梭
年年乞與人間巧
不道人間巧幾多

七夕巧果的製作

在上海看到的巧果，是把麵糰翻摺，用小刀劃一下，再左右翻摺，成為有框框的八字形。還有些地方是用模子做的，基本上就是油炸小點心。

台灣則是片平狀且加了芝麻。這個點心，好像上初中以後的家政課都會學的。

材料是中筋麵粉一百一十克，糖三十克，蛋一個，黑芝麻三十克，豆腐七十五克。將以上材料打散揉成糰，用擀麵棍擀平，切成長條狀，用熱油小火炸到酥黃即可起鍋。

七夕感懷

我年輕時著迷於看瓊瑤小說，她那唯美的愛情，確實影響著無知的一群。愛情可以當飯吃，只要有愛，就可以衝破所有的困境。我有個朋友沉溺於追尋瓊瑤所敘述的愛情故事，一路走來，跌跌撞撞，傷痕累累，三十幾年過去，只有不勝唏噓！

瓊瑤小說出版的時間點，正是台灣穩定發展中的一代孩子們的成長期，她那本《窗外》，我是躲在被窩裡看完的。我有個同班同學受到那種情感的影響，也愛上我們的數學老師，因為無法自拔，最後被迫轉學。

二○○九年龍應台基金會請林青霞回台北演講，也放映她年輕時主演卻從未公開放映的電影《窗外》，劇情中最關鍵的愛情對話，當年可是賺足了我們的眼淚，時隔三十多年，卻讓現場觀眾捧腹大笑；連林青霞自己也無法克制的大笑。多麼強烈的對比啊——那年頭的純情對白，現代人看起來卻是滑稽可笑！那年代的性教育更是封閉，很多女生真的以為與男生接吻後就會生出小孩！然而也就在那種封閉的環境裡，不少情竇初開的少女演出了轟轟烈烈、不顧一切結婚的故事。至於是否幸福美滿，那就另當別論了。

出身上海名門世家的張愛玲，她小說裡的愛情卻大多千瘡百孔，冷酷滄桑。那些因現實無法扭轉或因人性無法相合導致的悲劇性結局，卻讓大群女性清醒的回到了現實；愛要問值得不值得。快樂的已結束，不快樂的，想起來永遠傷心，誰還那麼傻下去呀！冷眼輕嘆之後，她們的日子過得格外的硬朗公平。

詩人徐志摩那句「輕輕的我走了，正如我輕輕的來」，明明跟愛情沒有直接的關係，卻讓當年的我給愛情穿上件雪紡紗衣，而「你記得也好，最好你忘記」也啟開我對愛情的一種灑脫的態度。

浪漫的三毛，許多人都記得她那齊肩的長髮，飄逸的盪在撒哈拉沙漠的風沙裡。「不要問我從哪裡來，我的故鄉在遠方」，那種異國情調的愛情與熱情，可真讓我大開眼界，羨慕不已！人活著，不就是為了要赴那一場生生世世的約會嗎？

　　武俠名家金庸筆下的楊過與小龍女，脫俗的愛情可以穿越時空，隨時都經得起考驗，竟然到現在都還可以撫慰一把年紀的我。感覺到自己好似可以在楊過與小龍女幾次的離合之間慢慢成長一般。

　　朱德庸的漫畫《雙響砲》與《醋溜族》，簡短的幾句對白，往往一語道破愛情的真相與男女之間的張力，令人拍案叫絕。

　　我的香港朋友則說，香港女作家亦舒、張小嫻比較喜歡寫女人自力更生的故事，能幹的女人多半對愛情要有掌控的權利，也都以「不在乎天長地久，只在乎曾經擁有」的態度，對香港女性影響較多。我的上海的朋友則說：王小波、王朔、王安憶、莫言、蘇童、嚴歌苓、余華、張潔等，是影響大陸愛情觀念的作家。

　　我成長的年代，電視只有三個台，大的報紙只有兩三家，雜誌也是有控制的質與量，而現在電視有一百多台，收音機有衛星收音機，國外作家像偶像一樣的作秀，雜誌更是針對不同的族群出現，網路作家之外，還出現網路美女作家。美國肥皂劇的滲透，韓劇的來勢洶洶，好萊塢大卡司的電影宣傳，情歌的無所不在，大膽與露骨的表白……這一切的改變，也不過是三十多年的時間罷了！

　　三十多年後，我們這一群五、六〇年代的人，對於現在年輕人的愛情態度（不能說是愛情觀念），大多是不敢恭維的，張愛玲曾寫過：「年輕人，三年五載就可以是一生一世」，如果她還在世，大概會說「三周五周就可以是一生一世！」我問十七歲的兒子：「你有沒有看過甚麼書或是電影而影響你對愛情的概念或觀念？」他不解的回答說：「為什麼要由別人來影響呢？不是都從交往的經驗中自己建立的嗎？」

　　也許這就是世代的差別。我們父母親那一代，十七歲時對於甚麼是愛情、甚麼是異性完全不知道，戰時是吃不飽，穿不暖的年代，而我公公說天天在軍事訓練，那裡有空談愛情？更何況愛情觀念了。我們這一代有著無數歷史歌頌的衣缽，最後卻在建立自主的過程中，回過頭來細想：究竟是誰影響了我的愛情觀？

　　孩子們這一代有自主而沒有衣缽，時刻靠自我的體會調整愛情的態度。我小兒子在美國學校上中文課時，老師要他們學寫新詩，他寫了一首〈愛情是……〉，看起來愛情之於他們，並沒有「從此，公主與王子就過著快樂幸福的日子了」的童話假象。我也不懂為什麼中國歷史上美好的愛情都不持久；例如牛郎織女一年只有七夕見一面，而我們還硬要說那是美麗的愛情呢？牛郎織女的故事說給孩子們聽，他們會調侃的說，可能一年見一次面才能維持那個叫「愛情」的東西吧？

　　以下就是我小兒子那首詩。

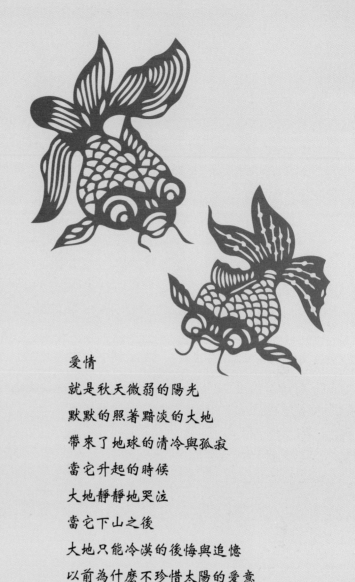

愛情是……　　小元

愛情
就是春天溫柔的太陽
照亮了嫩綠的大地
帶來了新一年的歡樂與希望
當它升起的時候
賜給大地炫目的光芒
當它下山之後
大地只好痴痴地盼望
來日同樣溫柔的照亮

愛情
就是夏天酷熱的火球
曬乾了枯燥的大地
帶來了生命的煩悶與火氣
當它升起的時候
大地在漫長的陽光下烤曬
當它下山之後
大地只精疲力盡地求饒
希望天亮的時間可減少

愛情
就是秋天微弱的陽光
默默的照著黯淡的大地
帶來了地球的清冷與孤寂
當它升起的時候
大地靜靜地哭泣
當它下山之後
大地只能冷漠的後悔與追憶
以前為什麼不珍惜太陽的愛意

愛情
就是冬天遮掩的太陽
拋棄了被冰雪蓋過的大地
造成大地的死去……

愛情
就是春天溫柔的太陽
照亮了嫩綠的大地
帶來了新一年的歡樂與希望

農民曆

每到農曆年前，母親總不忘查查農民曆，為「犯太歲」的家人，到廟裡「安太歲」。到底，太歲是什麼？能在中國人的生活裡，成為一個根深蒂固的生活習俗。

有關「太歲」的說法眾說紛紜。有人說，太歲就是天上的「木星」，每十二年繞行太陽一周；也有一說是太歲又稱「太歲星君」，或者「歲君」，它，既是星辰，也是民間奉祀的神祇，太歲共有六十位，每年，由其中一位太歲輪值，負責掌管當年凡間的所有事務，六十花甲年為一輪。

太歲的信仰在漢代就已經普遍流傳。東晉葛洪所著《抱朴子》書中曾提到諸畢太陰將軍的名稱，因此，太歲神格化的現象在前道教時期就已經出現。清代學者趙翼在《陔餘叢考》一書中，則記述「漢書王莽，號其將軍曰歲宿。則以太歲為大將軍，蓋起於新莽矣。」所以，太歲也被稱為「大將軍」。

通常，我們看到的六十位太歲塑像，不但神情各異，手執法器也不相同，如果太歲持筆，就表示政治有變；如果持槍執劍，就表示這一年要奮發圖強，所以，太歲手上的「法器」也暗示了該年的流年運程。

民間還有「太歲方」的習俗。東漢王充在《論衡．難歲》的「移徙法」裡，認為「抵太歲，凶；負太歲，亦凶，抵太歲，名曰歲下；負太歲，名曰歲破。」此一說法，形成地形的禁忌，使後世深信，在太歲所在的方位上動土，必遭禍害，因此而有俗諺「太歲頭上動土」，藉以描寫膽大妄為的行止。

星命思想的承續，使人們認定出生與太歲所在的辰宿互有感應，再加上沖犯原則，產生了對年、年沖、對沖的說法，凡事要避免犯沖，一旦本命年沖犯了太歲，就會招致不吉，容易發生兇禍。所以，民間就有了「太歲當頭座，無喜必有禍」的說法。

什麼是「犯太歲」呢？一個人出生年的地支，若與值星太歲的地支相同，就是所謂的「犯太歲」；如果出生年的地支與值星年太歲的地支「對沖」，則是「沖太歲」。無論是「犯太歲」或「沖太歲」，都表示這一年一定諸事不順，不僅身體可能出現病變，事業也會出現困厄。

雖然天意命定，但是，人類仍然會運用智慧、信念，將災禍轉化。為了化解沖犯太歲，以求平順，「安太歲」便成為民間常見的習俗。早年，安太歲的信徒會在年初，以紅、黃色紙寫上「本年太歲星君到此」或「本年太歲星君神位」或「一心敬奉太歲星君」之類字樣，貼在家裡，晨昏焚香禮禱。年底時，將紙撕下焚化，祭送太歲回天。後來，逐漸演變為一套安太歲的儀式，有了太歲符、太歲神像等。

隨著工商社會發達，人們大多到寺廟、道壇「安太歲」，由道士、法師誦經禮懺，並在十五日，以四果、清茶、香燭供奉，民眾另添香油錢，保祐一年順遂、趨吉避凶。

春牛圖

牧童赤著雙腳表示來年雨水多

中國自古以農立國，「牛」既被視為重要的生產力幫手，也被奉為財富、吉祥的象徵。

從北宋開始，立春的前一天，京城會向皇宮進獻春牛（泥塑），各重要衙署也會在門前設置春牛（泥塑），以表政府對農耕的重視。到了立春凌晨，將泥塑的春牛打碎，民眾爭著拾取春牛殘片，作為這一年祛病、宜蠶、祈求豐年的吉祥物。「打春（牛）」的習俗，因此傳承為重要的節慶，象徵一年春耕之始。

由於「牛」的祥瑞深受農民重視，民間的年畫、剪紙、刺繡裡，經常會以「春牛圖」作為題材。春牛圖又稱「曆畫」，也就是「迎喜圖」，裡面畫著一頭牛，搭配著牧童形象的「芒神」，用以預測天氣、雨量、干支，以及農作收成的變化。

春牛，身高四尺，象徵一年四季；身長八尺，象徵農耕八節（春分、夏至、秋分、冬至、立春、立夏、立秋以及立冬）；尾長一尺二寸，象徵一年十二個月。牛頭的顏色代表年干；牛身的顏色代表年支；牛腹的顏色則代表流年的納音五行。春牛的姿勢，例如牛尾擺向、牛口開合、腳踏縣門門扇等等，也同樣可以表示流年。

「芒神」，又叫「句芒神」，原本是古代掌管樹木的官吏，後來被用來作為神名。芒神身高三尺六寸五分，象徵農曆一年三百六十五天；手上的二尺四寸長鞭則代表二十四節氣。芒神的衣服、腰帶顏色，及頭上所束的髮髻位置，都依立春日的五行干支標示。牧童的年齡也有隱喻，年幼的牧童代表逢「季年」（丑、辰、未、戌年）；壯年的牧童代表逢「仲年」（子、卯、午、酉年）；老年的牧童則是逢「孟年」（寅、巳、申、亥年）。

春牛圖裡，除了牛身不同部位、顏色以及牧童年齡、裝扮各有所示，牛與牧童的相對位置也傳達了特定的訊息，例如，牧童站在牛身中間，表示當年立春在元旦前五天和後五天之間；牧童站在牛身前面，表示當年的立春在元旦五天前；牧童站在牛身後面，表示當年的立春在元旦五天後。

早年，「春牛圖」對不識字的廣大農民來說，提供了更易於辨識歲時、掌握氣候的功能，也反應出中國人對「風調雨順」的祈願，和對「豐收」的憧憬；現代的黃曆則大多不再畫春牛圖，而改以「春牛芒神服色」的文字敘述之。

牛身長八尺

牛身高四尺

尾長一尺二寸

牛角、尾、耳、蹄白色，腹紅色，
頭、身、膝脛黃色

身高三尺六寸五分

柳枝長二尺四寸

牧童立於牛身前

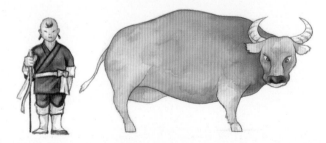

牧童立於牛身中間

牧童立於牛身後

二十四節氣

公元前二〇六年-前九年，西
中的〈時則訓〉已經清楚記載了
今天。一般的中國人，農民依照節
氣做些換季的家務，我自己家也會
櫥櫃也趁時做一番整理，不穿的衣

漢年間出了一套巨著《淮南子》，其
二十四節氣的名稱和順序，並且沿用到
氣播種與採收，家庭主婦也習慣依照節
把被子與厚重的衣服拿到太陽下曬透，
服拿去捐給需要的人……。

　　二十四節氣，是中國古人對於大自然的觀察，結合季節的變化，再加上累積的經驗知識，所產
生的「交節換氣，天氣，農作預告表」。中國自古以農立國，預報大自然的氣候變化、雨量多寡、
霜期長短，對農民的播種與耕種，確實提供了很重要的參考資料。這二十四節氣中，反映四季變化
的節氣有：立春、春分、立夏、夏至、立秋、秋分、立冬、冬至八個節氣。其中立春、立夏、立
秋、立冬叫做「四立」，表示四季開始的意思。反映溫度變化的有：小暑、大暑、處暑、小寒、大
寒五個節氣。反映天氣現象的有：雨水、谷雨、白露、寒露、霜降、小雪、大雪七個節氣。反映物
候現象的有：驚蟄、清明、小滿、芒種四個節氣。

　　很多人以為節氣是根據農曆所訂立，其實它是以太陽從春分點（黃經零度，太陽垂直照射赤
道）出發，每前進十五度為一個節氣，每個節氣約隔半個月。因此節氣的日期在陽曆中是相對固定
的，如立春總是在陽曆的二月三日至五日之間。二十四節氣是以「冬至」為首起算，所以中國人有
句俗話：「過了冬至，長了一歲」。證明兩千年以前，中國人已經知道氣候的計算模式應以太陽循
環為起始。那個古早年代，我們的老祖宗沒有龐大的科學研究機構，沒有現在的追風計畫，人工造

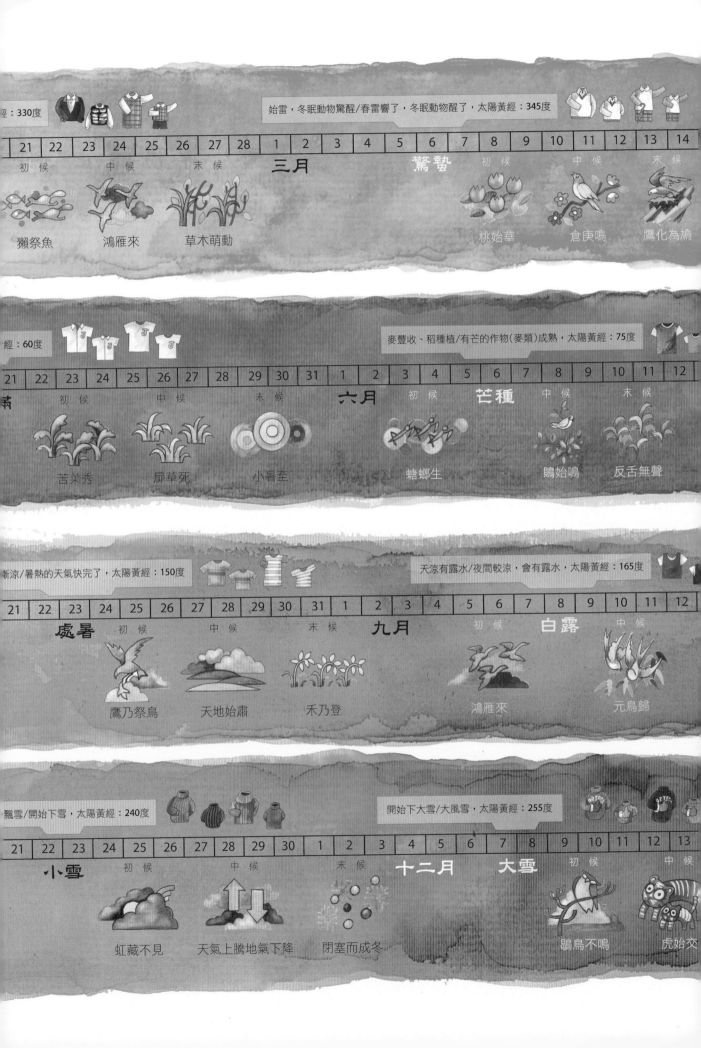

經：330度

始雷，冬眠動物驚醒/春雷響了，冬眠動物醒了，太陽黃經：345度

| 21 | 22 | 23 | 24 | 25 | 26 | 27 | 28 | 1 | 2 | 3 | 4 | 5 | 6 | 7 | 8 | 9 | 10 | 11 | 12 | 13 | 14 |

初候　中候　末候　三月　　驚蟄　初候　中候　末候

獺祭魚　　鴻雁來　　草木萌動　　　　桃始華　　倉庚鳴　　鷹化為鳩

經：60度

麥豐收、稻種植/有芒的作物(麥類)成熟，太陽黃經：75度

| 21 | 22 | 23 | 24 | 25 | 26 | 27 | 28 | 29 | 30 | 31 | 1 | 2 | 3 | 4 | 5 | 6 | 7 | 8 | 9 | 10 | 11 | 12 |

初候　中候　末候　六月　初候　芒種　中候　末候

苦菜秀　　靡草死　　小暑至　　螳螂生　　鵙始鳴　　反舌無聲

漸涼/暑熱的天氣快完了，太陽黃經：150度

天涼有露水/夜間較涼，會有露水，太陽黃經：165度

| 21 | 22 | 23 | 24 | 25 | 26 | 27 | 28 | 29 | 30 | 31 | 1 | 2 | 3 | 4 | 5 | 6 | 7 | 8 | 9 | 10 | 11 | 12 |

處暑　初候　中候　末候　九月　初候　白露　中候

鷹乃祭鳥　　天地始肅　　禾乃登　　　　鴻雁來　　元鳥歸

飄雪/開始下雪，太陽黃經：240度

開始下大雪/大風雪，太陽黃經：255度

| 21 | 22 | 23 | 24 | 25 | 26 | 27 | 28 | 29 | 30 | 1 | 2 | 3 | 4 | 5 | 6 | 7 | 8 | 9 | 10 | 11 | 12 | 13 |

小雪　初候　中候　末候　十二月　大雪　初候　中候

虹藏不見　　天氣上騰地氣下降　　閉塞而成冬　　　　鶡鳥不鳴　　虎始交

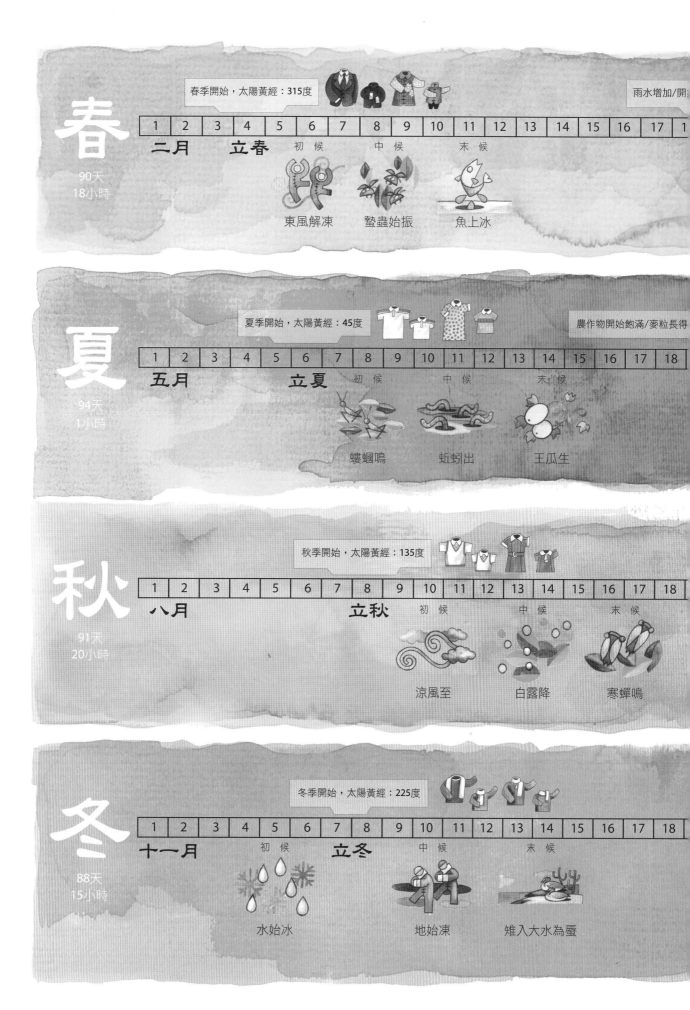

春
90天
18小時

春季開始，太陽黃經：315度

| 1 | 2 | 3 | 4 | 5 | 6 | 7 | 8 | 9 | 10 | 11 | 12 | 13 | 14 | 15 | 16 | 17 | 1 |

二月　　立春　　初候　　　　中候　　　　末候

雨水增加/開

東風解凍　　　蟄蟲始振　　　魚上冰

夏
94天
1小時

夏季開始，太陽黃經：45度

| 1 | 2 | 3 | 4 | 5 | 6 | 7 | 8 | 9 | 10 | 11 | 12 | 13 | 14 | 15 | 16 | 17 | 18 |

五月　　　　立夏　　初候　　　　中候　　　　末候

農作物開始飽滿/麥粒長得

螻蟈鳴　　　蚯蚓出　　　王瓜生

秋
91天
20小時

秋季開始，太陽黃經：135度

| 1 | 2 | 3 | 4 | 5 | 6 | 7 | 8 | 9 | 10 | 11 | 12 | 13 | 14 | 15 | 16 | 17 | 18 |

八月　　　　　立秋　　初候　　　　中候　　　　末候

涼風至　　　白露降　　　寒蟬鳴

冬
88天
15小時

冬季開始，太陽黃經：225度

| 1 | 2 | 3 | 4 | 5 | 6 | 7 | 8 | 9 | 10 | 11 | 12 | 13 | 14 | 15 | 16 | 17 | 18 |

十一月　　　初候　　　立冬　　中候　　　　末候

水始冰　　　地始凍　　　雉入大水為蜃

雨，但他們對二十四節氣的精確算法，不但顯示了高度的觀察智慧，更重要的是流露了禮敬天地的虔誠之心。每次想到此，我總是讚嘆不已。

過去近兩千年中，二十四節氣準確的預告了一年之中氣溫的變化，日照的長短，除了作為農業的參考，也預告動植物的生活狀態，包括人的養身方法等等。現在去看中醫，有些醫生還會叮嚀老人家特別注意幾個節氣，反映出某些自然現象對身體健康可能威脅比較大，某個節氣該吃些甚麼，也存在我們的文化中。中國人自古即講究的天人合一之道，在節氣中展現無遺。

二十四節氣的劃分，是根據太陽在黃道（即地球繞太陽公轉的軌道）上的位置（黃經）變化以及地面氣候演變的順序，將全年分為二十四個段落。黃道周天三百六十度，分為四分，每分九十度，為四象限，每一象限為六分，每分十五度為一節氣，加起來共二十四節氣。每一個節氣再劃分為三候，也可說每五天天地間與花鳥蟲魚就有其一變化，這三候分別以幾個字的形容，分成初中末三段對應置入年曆中，文字中可感受到早年中國黃河流域的景物。我常想這就是早年時代的氣象體系，雖然黃河流域跟其他地區風土不一，雖然早年的氣候與現今有很大的不同，更無法跟現今的科學數據對比，這是份曾經用過千年的過去式資料，無法應用於現今，但我這個小螞蟻母親，仍然誠心誠意的繪製這一張過去式的二十四節氣圖表，繪製因應氣候溫度該有的穿著，七十二候名稱解析的圖示。我的目的是衷心的期望，兒孫們能感受到先人以此為紀律的生活，沒有改變天候的企圖心，敏銳洞察周邊的變化，以和諧共處，禮敬天地的態度過日子。

想想就在過去短短的幾十年間，工商科技的高度發展，人類發明了種種自以為聰明偉大的產品，以促銷為主的包裝與廣告，以不擇手段的降低成本為首要，以時效迅速為第一的生活形態，讓我們每一個人從與自然和平相處變成殺雞取卵，從禮天敬地變成人定勝天。我們的二十四節氣，已經被迫改變了！南北極冰山的眼淚，道盡了她無力抵擋人類的愚笨與貪婪，以及無法覺悟的過度與越界的無奈。

從中國傳統醫學的角度來看，夏天就是該出汗排毒，冬天就是要保暖熱補，這是最合乎自然的生活哲學。但是空調系統的大量使用，讓我們對季節失去了體悟。密閉式的玻璃帷幕牆大樓，不停運轉的空調系統造就了敏感的呼吸器官與紅眼症。大型商場全天的空調費用，是不是都反映在我們採購的每一樣生活用品上？媒體的廣告宣傳，服裝雜誌的誇大報導，讓我們只看到短暫的流行，空洞與浪費的時尚追逐，而沒有看到它背後所耗費的自然資源與成本。

現代企業所謂「成功」的模式，都是以最高效率、最低成本為獲利的首要宗旨。從一國跨海到另一國，我曾經崇拜極了的金頭腦企業，可以由極少數的聰明人，領導著他所訓練出來的機械頭腦員工，用複製的手法創造高利潤，打造一個個企業王國；在此同時，伸出善心的手，再捐款給慈善事業。現在想想，那最低成本的代價，是不是就是那雙影響生態的手？那最低成本的代價，有沒有威脅到很多人的基本生存？而華爾街那極少數聰明人創造出來的金融衍生性產品，好像時尚一樣的誘惑著貪婪的人們買單，在荒謬的金融海嘯劇中沉淪。然而那些企業經營的哲學，從各種英文字母代號的理論發展為各種備受矚目的論文，企業神話與財富管理的書籍雜誌，被翻譯成幾十種語文在

各國廣為行銷。數字會說話，但是所有大公司的高獲利年度報表中，沒有一欄記載地球暖化與海水上昇的數據。那些透過高知名度的會計師簽證，以無數種軟硬體呈現給投資人眼睛發亮的阿拉伯數字，卻看不到「道德」兩字的背書。

當地球變成平的以後，再看看與人的飲食生活最切身相關的農產品，現在市面有更大顆的基因黃豆，基因玉米，有更漂亮肥壯的蔬菜；那些都需要強壯的肝臟來排解肥料與農藥裡的毒素。如果一顆有機的花椰菜，價格可能比一頓漢堡餐要貴時，有多少人可以堅持自己的飲食習性？而畜牧養殖業，發展出驚人快速成長的記錄，創造出完全沒有生命尊嚴的基因生命。吃到人們肚子裡的雞鴨牛羊豬，其中不知有多少是沒有見過太陽，沒有吃過草的生命？有多少是驚嚇或沒有闔過眼的生命？豬發燒了，牛生氣了，雞生病了，大藥廠供不應求的培養疫苗，人們設計有造型的口罩與含有薰衣草的乾洗手，體溫測量計也成為近年竄紅的產業。然而大公司有龐大的律師團，可以幫他們進行擲地有聲的立法與訴訟，百姓們即使意識到想了解吃下去的究竟是甚麼的時候，可能已為時已晚，也無能為力了！

兩年前我去杜拜，導遊興奮的解釋沙漠中最大的恐龍公園、最大的狄斯耐樂園、滑雪場、購物街……。那是個沒有水的城市，卻有一條運河，河邊都是花朵般的住宅群，草木扶疏，噴水池的水隨著音樂高低起伏的節奏起舞。室外的溫度是攝氏四十五度，人們卻可以去室內滑雪場滑雪。朋友帶我們去看房屋的銷售個案，一身包裹著黑色衣物的女銷售員只露出一雙眼睛，眼睫毛上閃著一粒粒鑽石，與袖口的鑽石相輝映。她手拿一隻仙女棒，指向牆上的集合住宅，侃侃描述著未來的美麗家園；仙女棒與鑽石在半空中揮舞閃爍，讓空氣中充滿華麗的色澤。

晚上十點，沙漠的高空處處燈火閃爍，我們坐在一個黃金打造的高空酒吧，數著那棟世界第一高樓已蓋到第幾層，一車車的巴士載來上大夜班的工人，換班的隊伍整齊有序。如今，這棟高達一百六十九層的第一高樓，已在二〇一〇年一月四日啟用，但它確實是蓋在沙漠上的啊！我的孩子上幼稚園時唱過一首歌：「那聰明的人把房子蓋起來，那聰明的人把房子蓋起來，那聰明的人把房子蓋起來，蓋在堅固泥土上。那愚笨的人把房子蓋起來，那愚笨的人把房子蓋起來，那愚笨的人把房子蓋起來，蓋在鬆散泥土上……。」怎麼連幼稚園的孩子都知道沙漠起高樓是愚笨的呢？

所以，到底是誰改變了二十四節氣？是人類的愚昧與貪婪，是過度的擴張與越界！這「貪婪」與「過度」的共犯結構裡，有我，有你，有他！沒有人能推卸這個責任。中國崛起之後，全世界的中國人都面對一個嶄新的世紀。看著過去短短幾十年間鑄成的生態錯誤與教訓，講究中庸之道的我們是否能夠自覺的扮演生態改革者，讓生活回歸自然秩序，重返天人合一的境界？

我更以為，每一個國度，都該學學我們中國人做出自己當地的節氣圖表與飲食教育推廣，教育他們的子民，隨著季節變化調整飲食作息與衣著，而不是冷暖不分，只靠著空氣調節機過著四季如春的日子，吃著不當令不在地的食物、遠渡重洋的加工垃圾食物、高油多鹽重口味的漢堡大餐，形成營養代謝的障礙，這些都違反了自然界的飲食與作息定律，當學習老祖宗偉大的二十四節氣生活智慧的承傳。

雨量增多，穀類長得好，太陽黃經：30度

11	12	13	14	15	16	17	18	19	20	21	22	23	24	25	26	27	28	29	30

中候　　　　末候　　　　　穀雨　　初候　　　　　中候　　　　　末候

鼠化鴽　　虹始見　　　　　　　萍始生　　鳴鳩拂羽　　戴勝降於桑

天氣悶熱/一年最熱時節，太陽黃經：120度

11	12	13	14	15	16	17	18	19	20	21	22	23	24	25	26	27	28	29	30	31

初候　　　　中候　　　　末候　　　　初候　大暑　　中候　　　末候

溫風至　　蟋蟀居壁　　鷹乃學習　　腐草為螢　　土潤溽暑　　大雨時行

經：195度

天氣轉冷/開始有霜，太陽黃經：210度

11	12	13	14	15	16	17	18	19	20	21	22	23	24	25	26	27	28	29	30	31

初候　　　　中候　　　　末候　　　　初候　霜降　　中候　　　末候

鴻雁來賓　　雀入水為蛤　　菊有黃華　　豺乃祭獸　　草木黃落　　蟄蟲咸俯

天氣酷寒/一年最寒冷的時節，太陽黃經：300度

11	12	13	14	15	16	17	18	19	20	21	22	23	24	25	26	27	28	29	30	31

中候　　　　末候　　　　大寒　　初候　　　　中候　　　　末候

鵲姑巢　　雉始雊　　　　　雞始乳　　鷙鳥厲疾　　水澤腹堅

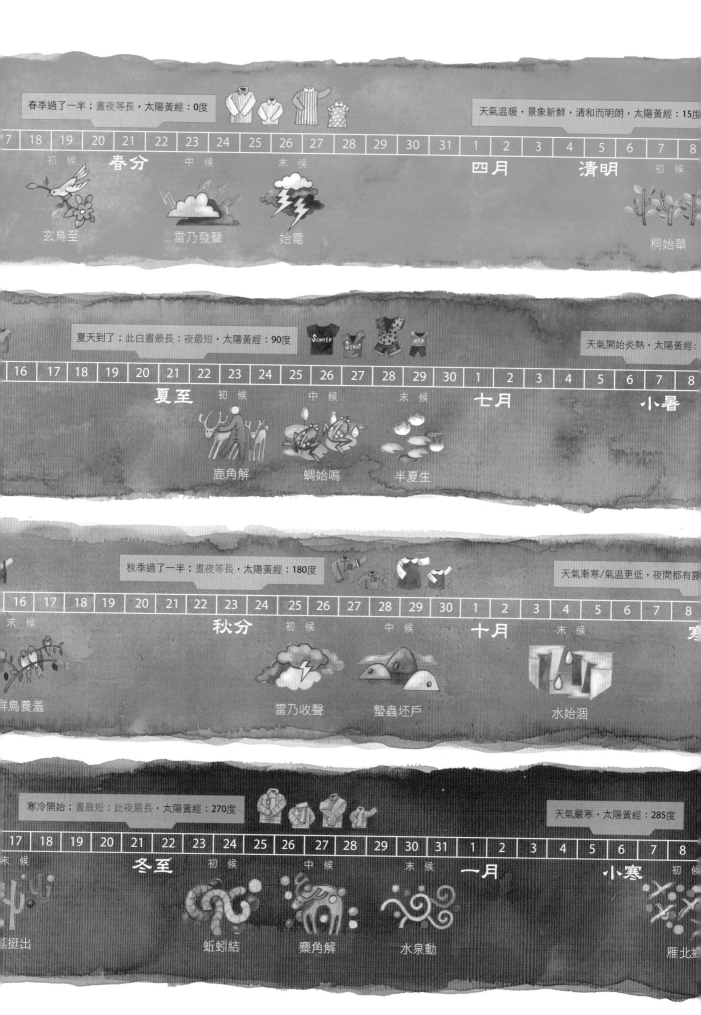

春季過了一半；晝夜等長，太陽黃經：0度

天氣温暖，景象新鮮，清和而明朗，太陽黃經：15度

| 7 | 18 | 19 | 20 | 21 | 22 | 23 | 24 | 25 | 26 | 27 | 28 | 29 | 30 | 31 | 1 | 2 | 3 | 4 | 5 | 6 | 7 | 8 |

初 候　　春分　　中 候　　末 候　　　　　　四月　　清明　　初 候

玄鳥至　　雷乃發聲　　始電　　　　桐始華

夏天到了；此白晝最長；夜最短，太陽黃經：90度

天氣開始炎熱，太陽黃經：

| 16 | 17 | 18 | 19 | 20 | 21 | 22 | 23 | 24 | 25 | 26 | 27 | 28 | 29 | 30 | 1 | 2 | 3 | 4 | 5 | 6 | 7 | 8 |

夏至　　初 候　　中 候　　末 候　　七月　　小暑

鹿角解　　蜩始鳴　　半夏生

秋季過了一半；晝夜等長，太陽黃經：180度

天氣漸寒/氣温更低，夜間都有露

| 16 | 17 | 18 | 19 | 20 | 21 | 22 | 23 | 24 | 25 | 26 | 27 | 28 | 29 | 30 | 1 | 2 | 3 | 4 | 5 | 6 | 7 | 8 |

末 候　　秋分　　初 候　　中 候　　十月　　末 候　　寒

鳥養羞　　雷乃收聲　　蟄蟲坏戶　　水始涸

寒冷開始；晝最短；此夜最長，太陽黃經：270度

天氣嚴寒，太陽黃經：285度

| 17 | 18 | 19 | 20 | 21 | 22 | 23 | 24 | 25 | 26 | 27 | 28 | 29 | 30 | 31 | 1 | 2 | 3 | 4 | 5 | 6 | 7 | 8 |

末 候　　冬至　　初 候　　中 候　　末 候　　一月　　小寒　　初 候

挺出　　蚯蚓結　　麋角解　　水泉動　　雁北鄉

主食

麵類

來自中原的
麵食文化

中國最早的麵食，不只我們現在所熟悉的麥，還包括黍、稷、菽、麻，合稱五穀。從新石器時代出土的文物就可以證明，我們的祖先七千多年前就已開始使用石磨盤和擀麵棍。兩千多年前春秋時代末期，魯國（今山東）的公輸班發明了石磨，食用五穀從顆粒變為粉末的加工更方便，也更趨細緻。後人亦稱公輸班為魯班，尊他為中國的「工匠祖師」。到了戰國時期，蒸籠、銅餅鐺、銅灸爐等炊具相繼發明，中華飲食文化不斷演變改進，各地都有形色殊異的美味食品。

中國北方以麵食為主的習慣，是漢朝之後形成。因此後世糕餅業者店內都懸掛漢宣帝圖像，奉他為祖師爺。至北魏時期，出版了《齊民要術》一書，已詳記十幾種製餅的技術、配料與工法。而發酵是麵點製作最重要的竅門，同一時期也有各種發酵方式的記載，甚至已出現麵糰裡摻加牛奶與雞蛋的配比。出版於晉朝的《餅賦》，則記載了「篩」小麥粉的動作，可「篩」出較細較白的麵粉；甚至有「絹篩」這樣的字眼，讓麵粉的質地更為細緻。由此可知，西元三百年左右，麵食已成為中國北方人的主食。

麵食最早的發源地是山西省，因它位處黃土高原，緯度與溫度適合各類麥與雜糧的成長，因此麵點的種類多達兩百多種。更有「一麵百變，一麵百味」之說，光是煮麵的技巧，就因手法不同而多達十幾種。通稱的三晉麵食，包括晉北的撥魚、河撈、貓耳朵、剔尖；晉南的饅頭、手工麵；晉中的蘸片子、大刀麵等，至今仍是當地的主食。而刀削麵、貓耳朵、羊肉泡饃、岐山掛麵等，也從漢唐盛世流傳至今。義大利的披薩與麵，則可推溯至宋朝時馬可波羅兩度到山西省太原縣訪查，返國後

以當地食材加以改製的。所以我們可以很自豪的說，人類的麵食文化源自於中國。

發展至今，各國可能有單一的麵食技巧，以及各種添加物蓋過麵食本身的味覺，卻沒有一個國家能像我們一樣，擁有一千七百多年的麵食歷史，以及數十種麵食種類與製作技巧。

我所生長的台灣位處亞熱帶，盛產稻米，主食是米飯。但因一九四九年前後有許多北方人移居台灣，間接帶來飲食文化的改變，很多南方人受到影響，也漸漸習慣吃麵食，甚至鄉下地方的老阿嬤也學會做饅頭包水餃。「台灣牛肉麵」，因為廣納各省口味，配料推陳出新，已成為著名的文化麵點，連大陸觀光客來台都想品嚐一碗。

一般家庭主婦自製麵食，採買的多為市售的精製麵粉，係單取小麥的胚乳製成。做全麥麵包用的全麥麵粉，則是以整粒小麥碾磨而成，有些老字號的麵包店仍採傳統石磨方式，烤出來的麵包還看得到小麥麩皮。多吃未精白的全麥食物，而非以麵粉做出的食品，是營養學的新觀念，凡是需要多咀嚼的，也是代表著越營養的食物，這是父母親有必要教導給孩子們的良好飲食習慣。現在也流行吃蕎麥，對心血管與美容都有助益，但是屬性偏寒，對腸胃蠕動不好的人並不適合。

麵粉的成分等級，西方各國都用混合的通用麵粉，中國麵粉則最講究，以蛋白質百分比的不同而區分為高中低筋三種。至於衡量麵粉高中低筋的標準，有一個固定的數據。通常是以500公克的麵粉加250公克的水，調成麵糰後用水沖洗，最後剩下一團黑黑的濕麵筋。然後吸乾水分再秤重，得出的數字除以500公克，就能分辨麵粉的高中低筋：高筋約為38～40%以上，中筋約

為26～38%以上，低筋則約為26%以下。

市面所售的麵粉，通常細分為**特高筋粉**，用以製作麵筋、油條與通心粉；**高筋粉**，蛋白質標示值為11.5%以上，吸水量標示為63～66%，通常會摻春麥與部分冬麥，製作麵包與麵條，如果加上低筋麵粉，則可做鬆餅粉與甜甜圈粉或是聖誕節的西式水果蛋糕。**中筋粉**，蛋白質標示值為9.5%以上，吸水量標示為50～55%，通常為全冬麥磨的粉，可製作中式麵食、點心，也可製作西式點心；**粉心粉**是一級粉，由靠近胚乳中心的部位磨出來，灰粉含量最低，顏色較白，適合製作饅頭、包子與中式點心；**低筋粉**蛋白質含量標示為7～9.5%，吸水量標示為48～52%，適合做蛋糕，或用以製作糕類、核桃酥、餅乾等。麵粉的筋度越高，吸水率越高。在清洗動物內臟如豬肚，可以用麵粉來洗，甚至可以用它來當碗盤清潔劑。如果用乾鍋炒麵粉到香以後，加點水，可以放到炒好的大白菜一起去烤；加上奶油一起炒，則可用來做成白醬或煮濃湯用。如果手捏高筋粉，會覺得鬆散的感覺，所以也用來做手粉之用。

麵粉中的蛋白質，90%不溶於水，10%會溶於水，加水攪拌後會產生延展性與彈性。不同麵食的口感，很大一部分都是靠此延展性來發揮的。而**麵筋**就是靠其中不同程度的蛋白質做成的，方法是將拌好的麵糰在自來水龍頭下捏拌沖洗，把澱粉及可溶性物質完全沖淨，剩下的即可製成麵筋。中國的素食所以好吃，原因之一是發明了麵筋，各省都有麵筋做成的不同菜色。

中國人的吃，不但講究色香味，而且絕不浪費食材。例如做麵筋，把剩餘物資開發為**澄粉**，並研發一種透明的水晶餃。所謂澄粉，就是製作麵筋時從麵糰沖洗下來的粉，又叫做**小麥澱粉**，因為沒有延展與彈性，只適合做水晶餃。

我所寫的〈吃老虎的人〉一文中的山東人老張，吃得出麥在地底蘊藏了多久的時間。但市售的麵粉大多經過廠商搭配，其產地、氣候、品種等，都不是消費者能選擇的，一般人不太容易辨識麵粉的配比。只有很少數特別講究的老字號點心舖，會要求一半南半球產的麥，配一半北半球產的麥。

和麵時的手法，除了一開始的摺，還有揉、搗、擦，力道不一樣，也影響麵筋的形成。夏天溫度高，則麵筋的形成快，這是需要實地衡量的。而和好的麵糰放置的時間長短，也與室內的溫度有關。

我在進行資料收集時，去問老師傅或熟練的奶奶，沒有一位可以提供我比較系統的資訊。老奶奶會說，冷天就多點熱水，熱天就多加點冷水。老師傅則說，乾了就再加水囉，濕了就再加粉囉。我的總結則是，和麵糰前，最好知道原理和原則。如果預先了解溫度、水量、發麵方式的變化原因，一切將會容易得多。和麵的水，溫度不同也會影響麵筋的形成，所以必須分冷溫熱三種：三十度以下為冷水，五十度到七十度為溫水，七十度到一百度以上為熱水。其原理是利用水溫讓麵糰中的蛋白質變性，例如**冷水麵糰**系列中的死麵糰，是陝西地區做羊肉泡饃，揉饃時用的，其法是不使用手粉，熟了掰成小塊入湯。其他的冷水麵糰也多半是讓麵筋疏實緊密，可製作麵條、餛飩、水餃等。**溫水麵糰**使局部的蛋白質變性，能保持部分勁道與柔性，可做燒賣。熱水成的**燙麵糰**會阻止麵筋的形成，減少勁道與韌性，

但相對會有一種柔性與糯性產生，可做鍋貼、蒸餃、薄餅等。

如果加水再加油，即為**油酥麵糰**；又可分成油酥與水油酥兩種。**油酥**的製法為麵粉兩份配豬油或植物油一份，花長時間與力道均勻的揉開。手法是經過訓練的大師傅才會的擦揉法。**水油酥**則是麵粉一份配水0.4份配油0.2份，必須先將麵粉與油混合均勻，再加入水揉和均勻。

酥點製品，是水油酥麵糰包油酥麵糰，經揉和與摺疊，再擀成油酥麵皮。這種麵皮會產生重疊酥層的口感，港式點心叉燒酥等即是此類的代表作。

至於發酵，一般都以為用老酵母最好，也就是酵種，俗稱的**老麵**。老奶奶們的絕活是使用天然酵母菌，基本上就是用已經發酵過的麵糰，來催發新的酵母。一般以商業利益為導向的經營，雖然也強調用老麵發酵，但若酵種因發酵過度而產生酸味，店家則可能加鹼來中和。

老奶奶們還會在熱天採用**酒釀發酵法**，麵糰加上酒釀變成酵母，用此酵母發酵，室溫需要保持在二十八度左右，發酵時間約八到十二小時，即可變成有點酒味的發酵麵糰。此法的直接成本小，時間成本大，懂得掌握的人也不多。我則比較屬意這個辦法，因為這種酵母本身含有豐富的維生素，對人體也不會有甚麼副作用。唯一的問題是有點酒味，孩子們比較不欣賞。以上的和麵糰大致上分成水調麵糰、酥皮麵糰與發麵麵糰三大類，分的出水調的麵糰多由煮、煎與烙的方式成型；酥皮類多由烤

的；發麵糰則多由蒸的成型。

麵粉要發與蓬鬆，一定要透過生物變化的原理，製做西式點心時，因為麵粉多少會搭配油、蛋品、乳製品等，天然的發酵方式無法達成酥鬆的效果，所以必須採用**化學發粉**，也就是**小蘇打（碳酸氫鈉）**或**泡打粉（發粉）**或**鹼（碳酸鈉）**來平衡酸性，這可以讓麵糊產生大量的二氧化碳氣體，讓體積變大與鬆軟，達到製品能夠鬆脆爽口的特點。食物越是鬆脆爽口，我們則越該了解它的製造過程。因為麵糰或麵糊的發酵，組織要產生空洞、疏鬆、膨脹的作用，進而口感鬆軟，賣相好看等，這就是一個生物蓬鬆、物理蓬鬆與化學蓬鬆的過程。很多人對食物過敏，其中一種過敏源就是麵包裡的化學成分。如發現自己對化學蓬鬆或發酵法過敏，則要注意市售麵包的製作過程，而泡打粉與混合發粉中多半含有鋁有關，所以健康醫學近年也再三提醒我們不要吃甜食。

麵食應用中可以避免掉化學材料，則要學習酵母的應用。市面上有出售**鮮酵母**，是把酵母菌種在糖蜜等培養基中，讓它大量的培養酵母與繁殖，經過分離之後壓榨而出，也稱為**壓榨酵母**。這雖是天然的辦法，但環境因素影響太大，所以酵母活性不穩定，採用的配比需要經驗，保存又很費事，一般的家庭通常不採此法。有些大型的工廠會製做天然的鮮酵母，將之低溫乾燥後製成**活性酵母粒**，其發酵能力均勻，保存容易，使用前用溫水沖開，和入麵糰即可。

古代的人做發酵食品，是比較健康的發酵方式，是採用含有糖分的食材，好比可用煮熟

的馬鈴薯和米飯加入適量的水，打成泥狀後讓它自然發酵；再每天加入些許的水與麵粉進行培養，使其酵母漸漸茁壯，繁殖的成品即是**麵種**。麵種和入麵粉，才能達到發酵的作用，進而衍生出各類口感的麵食。

台灣吃麵包的觀念在近年也在改變，除了健康的訴求外，歸屬於歐美的主食還是日本系列的點心，變成很多人要釐清的態度。比如列為主食的麵包，則有**自行發酵麵包**的問世。這種方式是完全不放老麵或酵母粉。原理是將二份水加三份麵粉拌勻，室溫最好控制在二十五度左右，放置二十四小時即有氣泡，表示開始發酵。第二天，加入同等份的水及麵粉，同樣拌勻放置二十四小時。第三天，再加入同等份的水及麵粉，同樣拌勻放置二十四小時。如此產生的**老麵糰**，看上去是稀稀的麵糊。然後可以用這糰老麵，依個人想要做的麵包方式加入麵粉裡製做麵包。如果不喜歡酸性口味，則可將二十四小時縮短為六或八小時，味道比較不會酸。

還有利用水果，與自己所在環境中已經有的菌種，則可做得出自己的酵母液，進而做出酵母種。方法很多，但溫度與環境每家不一樣，要有勇氣與恆心多嘗試幾次。有機葡萄乾，加上礦泉水，放置四到八小時，溶出的葡萄糖就是一種天然的酵母液。用此酵母液，加入高筋麵粉，稀釋攪拌均勻，每天都進行拌和的動作兩次，每兩天再加入些酵母液，待五天到七天之後就成為天然的**酵母麵糊**備用，若氣溫高時需放置冰箱保存。要製做麵包時再以一公斤的高筋麵粉加上200公克的酵母麵糊加入600cc的水、5cc的原色冰糖、10cc的鹽、50cc

植物油，用攪拌器拌勻或用手揉三十分鐘至一小時成麵糰，放置一晚或八小時，隔天即可成型烘烤。（此為低糖低油健康配方，口味可依個人喜好調配，還可包入餡料，水分及發酵時間，則以當天的氣候溫度及濕度做調整。）

所有天然發酵的方式，最耗費的就是時間。慢速的天然效果與快速的化學效果一比較，以商業利益為導向的食品業者，顯然無法承擔這樣的時間成本。正確觀念的建立是非常有必要的。

在「南方女子的北方大夢、東方女子的西方大夢」章節中，我把難以用文字敘述的原理原則，以幽默的圖稿繪明；凡是兇巴巴的臉孔，就表示不是自然物料。在「台灣牛肉麵與蔥油餅」篇章，則將步驟與細節全畫出來，希望有一通百通的效果。整份麵食資訊的表格，僅供參考。希望這資訊與圖繪的效果，能夠輕鬆的傳達常識訊息。不過這些只是我粗淺的考察，相信還有很多不同的手法與不對的地方，請讀者們自行檢驗與比較。

聽（耳朵）
鹼多啦：叭叭音
鹼少啦：噗噗音
正確：像敲到空
　　　心的東西
　　　上砰砰音

揉（手）
鹼多啦：滑手筋力大
鹼少啦：黏手沒勁兒
正確：軟硬適宜

成形
鹼多啦：有鹼味道，澀嘴
鹼少啦：色暗、味酸、表
　　　　面結塊
正確：色白、味香、成形
　　　飽滿、蓬鬆

我希望自己是能端得
剛做好熱騰騰的麵點
家人那種賢慧的模樣
我希望我有一根神
擀麵棍，像仙女棒
的變出好多麵點來

中式麵點除了麵粉外的原料：

比如壽桃，高筋三份低
筋兩份。

6 比如刈包，高筋四份低
筋1.5份。

1 麵粉水：
麵粉水為煎餃、鍋貼與
水煎包會用到，加到鍋
中的水，例如：中筋麵
粉12g配水350cc配白醋
10cc。

2 糖：
可以提供麵中的酵
　分。

中式酥皮麵糰

油皮：
用中筋五份、綿白糖一份
、豬油兩份、水兩份調成。

包覆靜置鬆弛三十分鐘
，做竹塹餅或芝麻餅。

打全蛋要記住南北韓理論！溫度要在三十八度
，則泡沫穩定。若只打蛋白，就記住白色代表
潔癖並且有點三八，容器不可有油有水，溫度
則是半三八，也就是十九度，糖需要慢慢慢的
加，打到會往下垂但不落下來為濕性打發，可
以豎起來不下垂為乾性打發。

糖

奶油、沙拉油有動物性
與植物性二種，含30%
乳脂肪。

自行發酵：
麵包口味為另一種風味
，以高代價的時間成本
換取非自然的添加物。

西式餅乾麵糰

軟式餅乾：
類似麵糊用擠花方式整
形。

硬式餅乾：
較多的油分，麵糰茶實
，可自行塑形，麵糰要
放冰箱。

南方女子的北方大夢・中式麵糰

我是南方人，卻夢想成為很會做麵食的那種北方老奶奶。

看（眼睛）
鹼多啦：孔洞小，扁長方形
鹼少啦：孔洞大，橢圓形，大小不一
正確：孔洞均勻成圓形

聞（鼻子）
鹼多啦：有鹼味
鹼少啦：有酸味
正確：香香的

嚐（嘴）
鹼多啦：澀
鹼少啦：黏
正確：甜甜

當然也有不同筋度搭配上的例子：

1 比如水餃皮，高筋七份配低筋三份。

2 蒸餃，高筋五份低筋一份。

3 煎餃或鍋貼，高筋六份低筋四分。

4 比如燒賣，高筋兩份低筋一份。

燙麵糰：
粉水比2:1
七十度到一百度以上為熱水

燙麵糰會阻止麵筋的形成，減少勁道與韌性，但相對會有一種柔性與糯性產生，可做鍋貼、蒸餃、薄餅等。

東方女子的西方大夢・西式麵糰

我是東方人，著迷於看到美麗的蛋糕，更喜歡鬆軟蓬鬆的麵包；但怕吃多了牛油，胖到穿不下裙子，也不希望吃下很多Baking Soda，得老年癡呆症，所以我的西方大夢是希望介紹自然的麵糰手法，與不用化學添加物，來減少違反身體健康的訴求，所以本章有著提醒的目的。

奶粉

雞蛋

酵母粉有新鮮酵母、乾酵母、速溶酵母

西式麵點多用非自然發酵協助，溶解產品的溫度要學會控制，判斷發酵與使用機器攪拌的速度變得格外重要；表皮的呈現不能塌陷，烤箱的操作也需要熟練。

西式烘培麵包麵糰

中種發酵：
就是分段發酵的意思，第一次用六成的粉與五成的水與全部的酵母做成中種麵糰，再混合上剩下的粉與配料進行攪拌，則能做出準備烘焙的主麵糰。

直接發酵：
以時間為第一考量下的一次發酵與攪拌。

吸風飲露

酵母種的培養

集秦漢前禮儀論著的《大戴禮記·易本命》載說：「食肉者勇敢而悍，食穀者智慧而巧，食氣者神明而壽，不食者不死而神。」道家修行，要能夠長生不老，推斷起來是不吃東西的。現在流行的養身斷食法，則跟古代的「辟穀」術、「絕粒」術，是有關係的。《莊子·逍遙遊》則載有「不食五穀，吸風飲露」，看來是仙人的行徑。我從現代科學的角度想這一件事情，總覺得不可思議。我到南懷瑾老師所創辦的「大學堂」上課時，知道有幾位師兄真的可以幾天不進食，還有人達到二十天之久的，百思不解，直到我開始研究麵食的發酵，才知道空氣中存有自然的微生物，可以養酵頭，這才想到，「吸風飲露」是真實的行為。中國人從秦代以前，就有這一個知識體系的存在了。

我自台灣樸門永續發展協會「野蔓園」的生活課程中學到，自己生活的環境中，可以培養出不一樣的菌種微生物，它們都是看不到，卻在你四周的養分。這也解釋了，我所敬佩的北方老奶奶做麵食的技巧、南方奶奶們做酒釀的技巧、所有加工的豆類食品、醃製食品的技術、酒的發酵過程等，全都是

蘋果酵母頭麵包				

蘋果連皮196g+糖3大匙+水8大匙。	如果是室溫二十四度，則約三四天後，當罐內已充滿泡泡，就開始餵養動作了。	瀝出水分後，以2：1的配比混合在一個用燙水消毒過的玻璃瓶內，2份的水配上1份的高筋麵粉，蓋上保鮮膜。	第二天可從瓶子側面看到像發麵過的痕跡，再加入1/4：1配比的水與高筋麵粉。	十二個小時後，可從瓶子面看到很多小孔洞，可以之攪拌一次。

有機葡萄乾酵母頭麵包				

有機葡萄乾，加上礦泉水。	放置四到八小時，溶出的葡萄糖就是一種天然的酵母液。用此酵母液加入高筋麵粉，稀釋攪拌均勻，每天都進行拌和的動作兩次。	每兩天再加入些酵母液。	待五天到七天之後就成為天然的酵母麵糊備用。	氣溫高時需放置冰箱保存

另類麵包				

取酵母頭2份與高筋麵粉1份，加些蜂蜜攪拌一下，蓋上保鮮膜。	冷藏八到十二小時，取出後可加些無鹽奶油，並靜置兩小時。	混合水1大匙、鹽1小匙、鹼粉1/8小匙之後，再入比1份略多的高筋麵粉，與靜置麵糰揉拌混合。	再靜置約三小時，再經滾揉、鬆弛等動作。等到麵糰發到約兩倍大，即可烤成較無酸性的麵包。	出爐十五小時後切開。因已加鹼粉中和酸味，此為酸味的麵包，抹上含奶油/奶油乳酪或是香草浸漬橄欖油都是非常美味的。

仰賴這老天爺已經計畫好的DIY包裡面。只是人們為求更精緻的口感，視覺上的享受，發展更多元化的巧思，這都是人之常情。速成酵母粉也並不為過，因為沒有化學的成分。只是為求速度，效率，所研發出來各種不自然的起發，起酥，存放得久的辦法，則在過了一甲子後，逐漸的被健康醫學界發現，對人體是有害的。健康醫學的過敏項目表中，發粉，氫化油脂，與合成的酸鹼平衡劑等，都與長期的敏感有關。最可怕的是大部分的發粉類都含有鋁，很多人測驗apo-E基因，對血脂肪代謝能力不好，造成胰島素不足或過高，還有糖尿病等的病因，都不合適吃食精緻砂糖，老年癡呆症的原因很多，但健康醫學界都提倡少吃精緻的甜食以預防。健康醫學總是提醒我們，走回自然的飲食辦法。諸多求速度求美觀的烹調行為，都提出來不予以鼓勵。

　　自己利用空氣中的菌種做酵母，須要花上對自然溫度的控制，與時間的成本，製作上有一定的難度，相信這也是沒有辦法流傳的原因。美國的網站上有很多百年的酵頭在販賣，希望有一天我們也可以買得到老奶奶家廚房的酵頭。但現在也有很多製作的方法於市面上流通，比如有機葡萄乾酵母頭麵包，蘋果酵母頭麵包，麵粉自行發酵麵包等，網站上有很多行家的分享，加入糖來養酵母也是很流行的辦法。

第三與第四天分別都再加入1/2：1配比的水與高筋麵粉，每十二個小時攪拌一次。這是大約可以使用的酵母頭了，當瓶側有很多的氣泡。

取酵母頭240g+水50g+蜂蜜10g+高筋麵粉120g，混合均勻。覆蓋上保鮮膜後，放冰箱冷藏十二小時左右。

取出加入30g軟化無鹽奶油後，放置室溫回溫二小時。

加入麵粉150g左右，與水1大匙、鹼粉1/8小匙、鹽1小匙混合溶化。

揉麵糰，覆蓋靜置2.5~3小時。滾圓後，鬆弛十五分鐘。整型，最後發酵至兩倍，大約三小時，即可入烤箱了。

要製作麵包時，再以一公斤的高筋麵粉加上200cc的酵母麵糊加入600cc的水、50cc的原色冰糖、10cc的鹽、50cc的植物油。

用攪拌器拌勻或用手揉三十分鐘至一小時成麵糰。

放置一晚或八小時。

隔天即可成型烘烤。（此為低糖低油健康配方，口味可依喜好調配，還可包入餡料，水分及發酵時間以當天的氣候溫度及濕度做調整。）

這種方式是完全不放老麵或酵母粉。原理是將2份水加3份麵粉拌勻，室溫最好控制在二十五度左右。

放置二十四小時即有氣泡，表示開始發酵；第二天加入同等份的水及麵粉，同樣拌勻放置二十四小時；第三天再加入同等份的水及麵粉，拌勻放置二十四小時。

如此產生的老麵糰，看上去是稀稀的麵糊。

然後可以用這糰老麵，依個人想要做的麵包方式加入麵粉裡製作麵包。如果不喜歡酸性口味，則可將二十四小時縮短為六或八小時，味道比較不會酸。

（包粉）：

麵條、餛飩

3 中：

餅、餡餅、鍋餅、韭菜盒子、湯包、水煎包

4 粉心粉（一級粉）：

饅頭、包子（與中筋筋度一樣，但是靠近胚乳中心的部位磨出來，做出的包子顏色較白。）

5 低（蛋糕粉）：

蛋糕類、廣式月餅、核桃酥、餅乾、馬蹄條、叉燒包等

冷水麵糰讓麵筋形成為疏實緊密，可製作麵條、餛飩、水餃等。

溫水麵糰：

五十度到七十度為溫水

溫水麵糰使局部的蛋白質變性，能保持部分勁道與柔性，可做燒賣。

中式發麵麵糰

小發麵糰、半發麵糰、全發麵糰，發的時間要看溫度與濕度，一定要加上天然酵母或是酵母粉類，也需要鹼來調和酸度。麵糰膨脹到 1.5～2 倍，發酵過時間則沒有救了！

燒、微烤

中式麵糊麵糰

做銅鑼燒、蛋餅、車輪餅、雞蛋糕、章魚燒、煎餅、春捲皮。

泡打粉　Baking Powder
為鹼性的材料，容易溶於液體中，加熱溫度越高，釋放二氧化碳越快。最常與巧克力、可可粉搭配，可讓巧克力更加黑亮。為重碳酸鹽和氧化劑的混合物，可使烘焙的蛋糕蓬鬆脹大，是烘焙用發泡劑，也是所謂的發粉。

香草精

調色

此外為了造型取巧，各種耐高溫的模具，近年很多說不會對人體有害的造型塑膠軟製品，但可以放到高溫烤箱中。

onge Cake

像海綿一樣的口感，個蛋打，最後入模時不要照慣例抹油，否海綿蛋糕會變形。天蛋糕則只用蛋白，技要好，對身體最沒有擔。

Pound Cake

為一種厚重的口感，通常會用奶油在上面做漂亮的造型，一般用的蓬鬆劑較多。

Cheese Cake

麵粉比例不高，有時也用餅乾壓碎加上糖粉與無鹽奶油當底層。仰賴 Cream Cheese，也會加上酸奶，進烤箱與冰箱再進烤箱。

麵粉分五種筋度：

、糖、油、水，是做中式點心的基本材料
學會掌握，麵粉過篩、麵糰要覆蓋是基本
。

全世界只有中國人把麵
粉依筋度分成五種。

1 特高：
製作麵筋、油條、通心粉

煮 中式水調麵糰

3 水：
其原理是利用水溫讓麵
糰中的蛋白質變性。

4 油：
選擇可以耐高溫的油脂。

冷水麵糰：
三十度以下為冷水(水
餃皮的水要比麵條多

油酥皮：
「油酥皮」的油皮部分用
筋二十份、糖粉一份、
豬油十份、水十份調成，
置鬆弛三十分鐘，分割。

「油酥皮」油酥部分用低
筋十八份、豬油九份，此
時加入如芋頭或抹茶粉類
並製成球。

油皮與油酥以一份與0.6份
的比例包覆。

再擀平、捲起包覆鬆
十分鐘左右。再做一
一樣的動作後，包覆
置鬆弛三十分鐘，即
使用。

西：
林Margarine為酥油
白油添加色素、人
油。

白油Shortening 為氫化
油，仿照豬油，效果神
奇，到身體裡也一定有
化學氫化的神奇！

塔塔粉為白色酸性粉末
，用來中和蛋白鹼性，
可以讓蛋白泡沫潔白堅
硬。可用天然的白醋或
檸檬汁來取代。

蘇打粉 Baking Soda 是
一種膨脹劑，又稱烘焙
蘇打，利用化學反應使
麵糰膨脹，適用於任何
蛋糕。製成品之口感會
較鬆軟，焗出來的顏色
也較深。通常有鋁的成
分：碳酸氫鈉。

脆式餅乾：
要脆就要硬一些，越多
糖越脆。

西式蛋糕麵糰

Chiffon Cake
是一種質地如紗的麵糰
，蛋白蛋黃分開打，最
後快速混合，採用植物
性油脂。

牛骨不要太多會腥；豬骨可增加濃度；雞架子含有去皮的脖子部分會香。川燙洗淨，與薑洋蔥紅蘿蔔入冷水大鍋，開火煮開後，把浮泡沫撈起來後，中小火煮六到八小時，水變少時加熱水，表面浮油最後撈起來備用，這就是基本高湯。

2 花時間好好煮那軟嫩多汁的牛肉，牛肉部位拘，生手可從有筋膜耐燒的牛腱心來增加自的信心。牛肉川燙洗淨。

3:1

6 麵條的製作，中筋麵粉篩過與冷水3:1的比例，加上一點鹽，揉麵後，靜置30分鐘。可以過家庭製麵機展延一下，如左，過機器即可切出需要的尺寸麵條來。不然就用刀切也很方便。

良費，要有計畫，要粉量。蔥抓餅的麵完後含水約1000克麵糰準備600克。

中筋麵粉300克大概做兩張。

温水190cc，意思是度到70度之間，水大餅就硬掉，水太熱飯有彈性。

too cold =
too hot =

讓麵糰再碰麵粉了！

理出一個約50公分正方的空間，在正中抹上一點點沙拉油。

oil

SOCM

雙手滴上幾滴沙拉油，用麵棍撫平攤開來。

fee
go

兩張大大的塑膠紙上沙拉油，麵糰置中，再用仙女棒平平。

oneway! one time

整平要有手法，一次只能一個方向，一手壓塑膠袋，另一手往相反方向推過去，力道要，厚薄要一致，這時候，休息五分鐘。

牛肉麵

一級棒！台灣牛肉麵！

台灣街頭巷尾那些價格公道的牛肉麵，好吃是因為擁有認真的功夫！

1 花時間好好做上一本高湯備用著。

5 鍋內放油先炒香牛脂肪（貼近牛胸前的脂肪）撈起來備用。把煮基本高湯的浮油加入鍋內，再入牛脂肪，炸出油後，剩下渣子裝盤備用；分別入紅蔥頭、蔥、薑、花椒，剁碎過的豆瓣醬，粗辣椒粉，糖、鹽、米酒，再入基本高湯，熬煮兩個小時後可過濾變成一鍋牛肉湯。表面的油可以撈到另外一個碗備用。

牛肉麵湯碗裡那碗湯製作，則是要在吃麵兩個小時另外處理的

蔥油餅

切記切記！香酥脆軟！層層疊疊！是成功的餅，好比一個成功討喜，有挖不完學問的人一樣！

而做餅首先要有耐心！

600 g.

書上說豬油「適量」，但好吃的重點在這裡，豬油多些才香！

蔥越多越好囉！

以上是製作麵糰的道理。

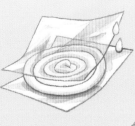

若冷凍，煎之前要先解凍30分鐘。

3 花時間熬一鍋牛肉老滷汁，味道不足時可以加上滷味包加味，可以整鍋放到冷藏備用，小火加油炒香蒜片、薑末、紅蔥頭、辣豆瓣醬等，倒入基本高湯，加一些山奈薑粉。並入香料包，香料包為一布袋中有少量的八角、桂皮、甘草、草果、丁香、廣陳皮、月桂葉、羅漢果、花椒等。煮一個小時後待其自然冷透。

4 把冷透了的牛肉對切一刀，如用的是大牛腱，則頭上的白色筋膜可以切掉，另外再煮一次才會熟。把牛肉置入熬煮的牛肉滷汁中冷泡，至少要六個小時才可以使用。也可冷藏放冰箱，要吃麵的時候才切，吃多少切多少，可分成一開四的切塊，或是一開四的切片。要吃麵前仍可用此滷汁，微溫到50度，把切片牛肉放入。千萬不要傻到把此冷溫泡的牛肉熱處理！

麵糰溫熱是不可能光滑的。

包上一層濕布，等上一兩個小時，他就光滑了！

醒過的麵糰趕快再給他攪拌一下，可以直接用中速，就可以上舞台了！

蔥油餅是用手壓在一邊，將麵條邊抖邊拉，並轉成一個漩渦。

蔥抓餅則可捲成麻花一樣。

這時麵糰告一段落了。讓他休息二個小時，或者冷凍、冷藏。

大功告成，香酥脆軟與層層疊疊！

滾水先把蔥薑煮出味道來後，加入少許去腥羶的桂皮、草果拍碎、花椒、八角，把整一塊牛肉放入，水量控制只要淹過牛肉即可，待水開後改到微火，並用一個盤子，上面放個有水的碗，輕輕的壓在牛肉上，不要壓的太緊。讓水溫設在一個好記好預兆的88度，讓牛肉泡在此鍋中成熟，多久呢？88分鐘吧！然後用竹籤感覺一下它發的程度，覺得可以，則轉大火，讓水滾後熄火，不用開蓋子，讓它繼續在裡面約30分鐘，冷透。

開水煮麵，快好時入青菜，把碗用煮麵水燙一下，煮好的麵瀝掉水分入碗，加入滾熱的牛肉湯，加些牛脂肪炸後剩下的渣子，鋪上冷溫處理的牛肉，蔥花。台灣牛肉麵的特色是牛肉軟嫩多汁，入口即化，牛肉湯底則是既香又濃，卻沒有腥羶味。

台灣牛肉麵！一級棒！

需要鹽約2.5克、糖約15克。

掌握工欲善其事的道理，把前三項混合放到機器攪拌，水當然是分次點滴的淋下，用那種獨眼海盜的義肢手那種S勾！並且知道一切從慢速轉到中速。

層層的加豬油，檢視一下，可以上找到那種要滴感覺！

均勻的灑下兩搓鹽，天女散花一般的灑下蔥花。

慢慢的不鬆不緊，卻小心翼翼的捲起他來呈長條狀。

此時讓麵糰休息30分鐘

平的麵糰卸下塑膠外衣是要有身段的，一面塑膠紙卸下後，另外一面卸到三分之一，就用仙女棒去接住，慢慢的引導入平底鍋去。

不打不成器，當蔥油餅成型後，用平底長鏟拍起他，高高的從上擇回鍋子，或直接用鏟子輕打他，這個動作可迸出層次來。蔥抓餅則要用兩個鏟子，自兩邊往中間敲鬆，產生斷裂的層次來。再經過三翻九轉，以求火力的均勻。

麵類

廣州炒麵

	麵粉種類	附加材料	約略比例	和麵的辦法
白麵條	中筋麵粉	水、鹽	中筋麵粉100g：水36g、鹽1g	水加鹽和麵粉，攪拌一下，再用手略揉成糰。
水餃皮、餛飩皮	中筋麵粉	水、鹽	中筋麵粉100g：水40g、鹽1g	水加鹽和麵粉，攪拌一下，再用手略揉成糰。
油麵	中筋麵粉	水、鹽、鹼水	中筋麵粉100g：水36g、鹽1g、鹼水1g	水加鹽、鹼水和麵粉，攪拌一下，再用手略揉成糰。
意麵	高筋麵粉	蛋白、鹽	高筋麵粉100g：蛋白60g、鹽2g	麵粉加蛋白和鹽攪拌一下，揉成糰。
蟹黃燒賣	中筋麵粉	滾水、蛋黃	中筋麵粉100g：滾水70g、蛋黃1顆	加水攪拌一陣子，再加入蛋黃攪拌放涼。
高麗菜豬肉餃子	中筋麵粉	冷水	中筋麵粉100g：水50g	只加水
花素蒸餃	中筋麵粉	燙水（90℃以上）	中筋麵粉100g：水78g	只加水
韭黃鍋貼	中筋麵粉	沸水、冷水	中筋麵粉100g：沸水55g、冷水25g	麵粉放盆中，把滾水沖入，用筷子攪拌使之散熱。稍涼些就可以加入冷水，攪拌一下，揉成均勻柔軟的麵糰。

蕃茄刀削麵

紅燒牛肉麵

清燉牛肉麵

龍蝦伊麵

貓耳朵

乾拌麵

和麵水的温度	是否需發酵	是否需蓬鬆	是否加化學添加劑	是否需內餡	成熟方式
冷水	否	否	否	否	煮
冷水	否	否	否	否	煮
冷水	否	否	是	否	煮
不用水	蓋好醒約半小時，再揉到相當光滑。	否	否	否	煮
燙水	否	否	否	是	蒸
冷水	否，但需醒1小時。	否	否	是	煮
燙水（90℃以上）	否，放涼備用。	否	否	是	蒸
沸水、冷水	放著醒約20分鐘	否	否	是	煎

炸醬麵

麵條煮好後，放到有冰塊的水中過一下，讓麵條增加彈牙的口感。

包
子

	麵粉種類	附加材料	約略比例
小籠包	發麵／中筋麵粉 燙麵／中筋麵粉	發麵／水、快發乾酵母、細白砂糖、鹽 燙麵／沸水	發麵／中筋麵粉100g：水62g、快發乾酵母2g、細白砂糖3g、鹽1g 燙麵／中筋麵粉100g：沸水92g
香菇雞球包子	中筋麵粉	水、快發乾酵母、細白砂糖、鹽、沙拉油	中筋麵粉100g：水49g、快發乾酵母2g、細白砂糖10g、鹽0.4g、沙拉油4g
肉包子	中筋麵粉	水、快發乾酵母、細白砂糖、鹽、沙拉油	中筋麵粉100g：水49g、快發乾酵母2g、細白砂糖10g、鹽0.4g、沙拉油4g
黑芝麻包子	中筋麵粉	水、快發乾酵母、細白砂糖、鹽、沙拉油	中筋麵粉100g：水49g、快發乾酵母2g、細白砂糖10g、鹽0.4g、沙拉油4g
水煎包	中筋麵粉	水、快發乾酵母、細白砂糖、鹽、沙拉油	中筋麵粉100g：水49g、快發乾酵母1g、細白砂糖10g、鹽0.4g、沙拉油4g
簡易叉燒包	低筋麵粉	水、快發乾酵母、發粉、糖粉、鹽、沙拉油	低筋麵粉100g：水39g、快發乾酵母2g、發粉1g、糖粉29g、鹽0.5g、沙拉
刈包	中筋麵粉	牛奶、快發乾酵母、發粉、細白砂糖、鹽、白油	中筋麵粉100g：牛奶50g、快發乾酵母1.5g、發粉1.3g、細白砂糖17g、 0.2g、白油6g
珍味湯包	中筋麵粉	燙水（90℃以上）	中筋麵粉100g：水78g

和麵的辦法	和麵水的溫度	是否需發酵	是否需蓬鬆	是否加化學添加劑	是否需內餡	成熟方式
斗攪拌成麵糰。無油。	發麵／冷水 燙麵／燙水	發麵／發酵1小時 燙麵／否（放冷即可）	否	否	是	蒸
斗攪拌成麵糰。水加上油。	冷水	發酵20～30分鐘	否	否	是	蒸
斗攪拌成麵糰。水加上油。	冷水	發酵20～30分鐘	否	否	是	蒸
斗攪拌成麵糰。水加上油。	冷水	發酵20～30分鐘	否	否	是	蒸
斗攪拌成麵糰。水加上油。	冷水	發酵20～30分鐘	否	否	是	蒸
斗攪拌成麵糰。水加上油。	冷水	發酵20～30分鐘	是	否	是	蒸
斗攪拌成麵糰。牛奶加上油。	冷水	發酵1小時以上	是	是	否，成品後另外夾餡。	蒸
口水	燙水（90℃以上）	否，放涼備用。	否	否	是	蒸

饅頭、花捲

	麵粉種類	附加材料	約略比例
牛奶饅頭	中筋麵粉	牛奶、快發乾酵母、細白砂糖、沙拉油	中筋麵粉100g：牛奶50g、快發乾酵母1g、細白砂糖8g、沙拉油2g
芋頭饅頭	中筋麵粉	水、快發乾酵母、細白砂糖、芋頭醬（可省略）、沙拉油	中筋麵粉100g：水40g、快發乾酵母2g、細白砂糖12g、沙拉油7g
烤饅頭	中筋麵粉	水、快發乾酵母、細白砂糖、發粉、沙拉油	中筋麵粉100g：水53g、快發乾酵母1g、細白砂糖8g、發粉0.7g、沙拉油
花捲	中筋麵粉	水、快發乾酵母、細白砂糖、鹽、沙拉油	中筋麵粉100g：水53g、快發乾酵母1g、細白砂糖5g、鹽0.2g、沙拉油2g
螺絲捲	中筋麵粉	牛奶、快發乾酵母、細白砂糖、發粉、沙拉油	中筋麵粉100g：牛奶50g、快發乾酵母1g、發粉0.7g、細白砂糖8g、沙拉
銀絲捲	中筋麵粉	牛奶、快發乾酵母、細白砂糖、發粉、沙拉油	中筋麵粉100g：牛奶50g、快發乾酵母1g、發粉0.7g、細白砂糖8g、沙拉
千層糕	中筋麵粉	水、細白砂糖、快發乾酵母、發粉、鹽、檸檬汁、沙拉油	中筋麵粉100g：水40g、細白砂糖12g、快發乾酵母1g、發粉1g、鹽0.4g、檸檬汁2g、沙拉油4g
黑糖糕	低筋麵粉	黑糖、熱水、樹薯粉、發粉、花生油	低筋麵粉100g、黑糖100g、熱水120g、樹薯粉50g、發粉4g、花生油4g

和麵的辦法	和麵水的温度	是否需發酵	是否需蓬鬆	是否加化學添加劑	是否需內餡	成熟方式
料攪拌成麵糰。牛奶加上油。	沒有水	基本發酵1小時（可省略）	否	否	否	蒸
料攪拌成麵糰。水加上油。	冷水	基本發酵1小時（可省略）	否	否	是	蒸
料攪拌成麵糰。水加上油。	冷水	基本發酵1小時（可省略）	是	是	是	烤
料攪拌成麵糰。水加上油。	冷水	發酵1小時	否	否	是	蒸
料攪拌成麵糰。牛奶加上油。	冷水	發酵1小時	是	是	否	蒸
料攪拌成麵糰。牛奶加上油。	冷水	發酵1小時	是	是	否	蒸
有材料攪拌勻。水加上油。	冷水	發酵1小時以上	是	是	是	蒸
糖加熱水調化，放到温涼。上附加材料攪拌加油。	冷水	否，醒10分鐘即可。	是	是	否	蒸
力揉成軟硬適中的麵糰。	冷水	蓋好醒20～30分鐘	否	否	否	烙或蒸

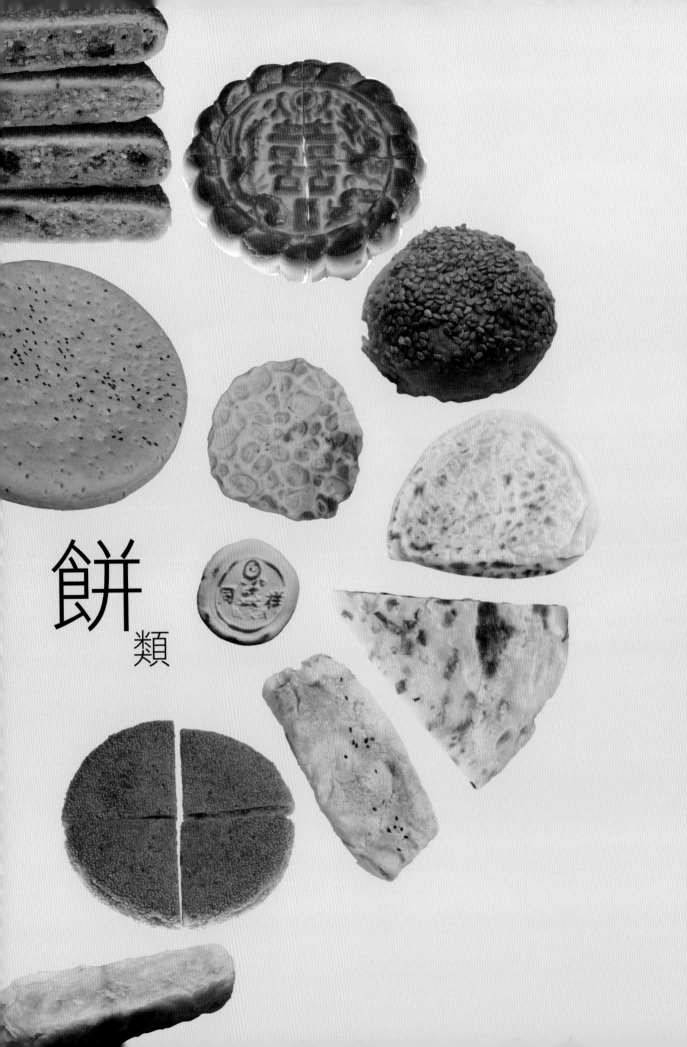

餅
類

	麵粉種類	附加材料	約略比例
山東大餅	中筋麵粉	微溫的水、快發乾酵母、細白砂糖、鹽、沙拉油	中筋麵粉100g：微溫的水50g、快發乾酵母2g、細白砂糖5g、鹽1g、沙拉
槓子頭	中筋麵粉、低筋麵粉	水、鹽、細白砂糖、奶粉	中筋麵粉100g＋低筋麵粉100g：水83g、鹽2g、細白砂糖10g、奶粉20g
燒餅	燙麵／中筋麵粉 油酥／低筋麵粉	燙麵／鹽、滾水、冷水、沙拉油 油酥／沙拉油	燙麵／中筋麵粉100g：鹽0.6g、滾水55g、冷水18g、沙拉油10g 油酥／低筋麵粉100g：沙拉油7g
甜燒餅	油皮／中筋麵粉 油酥／低筋麵粉	油皮／沙拉油、水、細白砂糖 油酥／沙拉油	油皮／中筋麵粉100g：沙拉油33g、水42g、細白砂糖5g 油酥／低筋麵粉100g：沙拉油38g
胡椒餅	麵糰／中筋麵粉 油酥／低筋麵粉	麵糰／水、快發乾酵母、細白砂糖、鹽 油酥／豬油	麵糰／中筋麵粉100g：水56g、快發乾酵母2g、細白砂糖6g、鹽0.6g 油酥／低筋麵粉100g：豬油50g
單餅＋京醬肉絲	中筋麵粉	鹽、滾水	中筋麵粉100g：鹽0.6g、滾水92g
蛋餅皮＋蛋餅醬汁	中筋麵粉	太白粉、鹽、蔥末、滾水	中筋麵粉100g：太白粉33g、鹽0.8g、蔥末2根、滾水117g
蔥抓餅	中筋麵粉	鹽、滾水、冷水	中筋麵粉100g：鹽0.6g、滾水55g、冷水20g
蔥油餅	中筋麵粉	鹽、滾水、冷水	中筋麵粉100g：鹽0.6g、滾水55g、冷水25g
發麵蔥燒餅	發麵／中筋麵粉 油酥／低筋麵粉	發麵／水、快發乾酵母、細白砂糖、鹽、沙拉油 油酥／沙拉油	發麵／中筋麵粉100g：水55g、快發乾酵母2g、細白砂糖6g、鹽0.6g、沙 油酥／低筋麵粉100g：沙拉油15g
韭菜盒子	中筋麵粉	沸水、冷水	中筋麵粉100g：沸水56g、冷水24g
蘿蔔絲餅	中筋麵粉	沸水、冷水	中筋麵粉100g：沸水56g、冷水24g
牛肉餡餅	中筋麵粉	沸水、冷水	中筋麵粉100g：沸水55g、冷水25g
油條	高筋麵粉	發粉、小蘇打、鹽、水	高筋麵粉100g：發粉5g、小蘇打1g、鹽1g、水67g
台灣喜餅	中筋麵粉	奶油、糖粉、蛋、水、奶粉、起司粉	中筋麵粉100g：奶油43g、糖粉17g、蛋1個、水11g、奶粉10g、起司粉

和麵的辦法	和麵水的溫度	是否需發酵	是否需蓬鬆	是否加化學添加劑	是否需內餡	成熟方式
斗用力揉成均勻光滑又有彈性的麵糰。水加油。	微溫	發酵1小時30分鐘	否	否	是	烙或烤
部材料和在一起，用力壓成結實的麵糰，均勻就好，不必揉出筋。	冷水	蓋好醒30分鐘	否	否	否	烤
麵／把麵粉及鹽放盆中，把滾水沖入，用筷子攪拌使之散熱。稍涼一…就可以加入冷水和沙拉油，攪拌，揉成溼黏的麵糰。放著醒15分鐘。…／沙拉油放鍋中，加麵粉用中火同炒，炒到有香味即可。放涼。	燙麵／滾水、冷水	燙麵／放著醒15分鐘	否	否	否	烤
由皮和成糰，揉到光滑。油酥也和成糰。	冷水	分糰醒10分鐘，包餡後再醒10分鐘。	否	否	是	烤
糰／材料放入攪拌缸，用慢速攪拌成糰，再用中速攪打到均勻光滑。…／材料攪拌均勻。	冷水	放著醒約30分鐘	否	否	是	烤
分及鹽放盆中，把滾水沖入，用筷子攪拌一陣子使之散熱。	滾水	否	否	否	否	烙
分、太白粉、鹽、蔥末放盆中，把滾水沖入，用筷子攪拌一陣子使之散	滾水	否	否	否	否	烙
分、鹽放攪拌缸裡，把滾水沖入，低速攪拌一陣子，讓熱氣散去。…，加入冷水，用中速攪打成光滑柔軟的麵糰。	滾水＋冷水	放著醒20分鐘以上。成型再醒20分鐘。	否	否	蔥花餡拌勻，撒在皮上。	烙
分、鹽放攪拌缸裡，把滾水沖入，低速攪拌一陣子，讓熱氣散去。…，加入冷水，用中速攪打成光滑柔軟的麵糰。	滾水＋冷水	放著醒20分鐘以上。成型再醒20分鐘。	否	否	蔥花餡拌勻，撒在皮上。	烙
麵／材料放入攪拌缸，以中速攪打到均勻光滑（油等打到半途再入）。…／炒香，放涼。	冷水	否或成型最後發酵10～15分鐘	否	否	蔥花餡拌勻，撒在皮上。	烤
放盆中，把滾水沖入，用筷子攪拌使之散熱。稍涼一些就可以加入冷…攪拌一下，揉成均勻柔軟的麵糰。	沸水、冷水	放著醒約20分鐘	否	否	是	烙或烤
放盆中，把滾水沖入，用筷子攪拌使之散熱。稍涼一些就可以加入冷…攪拌一下，揉成均勻柔軟的麵糰。	沸水、冷水	放著醒約20分鐘	否	否	是	煎
放盆中，把滾水沖入，用筷子攪拌使之散熱。稍涼一些就可以加入冷…攪拌一下，揉成均勻柔軟的麵糰。	沸水、冷水	放著醒約20分鐘	否	否	是	煎
全部拌好，大致揉成麵糰。	沸水、冷水	否	否	有（硼砂）	否	炸
攪拌成麵糰。加水。	冷水	否，但要醒一下。	否	否	是	烤

零
食

棕豆門

台式
麵包

	麵粉種類	附加材料	約略比例
素食老婆餅	油皮／中筋麵粉 油酥／低筋麵粉	油皮／水、細白砂糖、奶油 油酥／奶油	油皮／中筋麵粉100g：水56g、細白砂糖8g、奶油19g 油酥／低筋麵粉100g：奶油57g
廣式小月餅	低筋麵粉	轉化糖漿、花生油、鹼水	中筋麵粉100g：轉化糖漿65g、花生油29g、鹼水7g或省略
綠豆椪	油皮／中筋麵粉 油酥／低筋麵粉	油皮／白油或豬油、水 油酥／白油或豬油	油皮／中筋麵粉100g：白油或豬油36g、水46g 油酥／低筋麵粉100g：白油或豬油50g
紫芋蛋黃酥	油皮／中筋麵粉 油酥／低筋麵粉	油皮／白油、水、芋頭醬 油酥／白油	油皮／中筋麵粉100g：白油36g、水48g、芋頭醬2g 油酥／低筋麵粉100g：白油56g
鳳凰酥	低筋麵粉	軟化奶油、糖粉、蛋、奶粉、起司粉	低筋麵粉100g：軟化奶油67g、糖粉20g、蛋1顆、奶粉20g、起司粉
香脆馬蹄條	低筋麵粉	發粉、鹽、水、沙拉油	低筋麵粉100g：發粉5g、鹽1g、水132g、沙拉油88g
脆皮甜甜圈	甜甜圈部份／中筋麵粉、 低筋麵粉 脆皮部份／低筋麵粉	甜甜圈部份／牛奶、快發乾酵母、發 粉、細白砂糖、鹽、蛋 脆皮部份／水、沙拉油、發粉、鹽	甜甜圈部份／中筋麵粉100g、低筋麵粉100g：牛奶94g、快發乾 4g、發粉3g、細白砂糖28g、鹽1g、蛋1個 脆皮部份／低筋麵粉100g：水125g、沙拉油75g、發粉8g、鹽2g
香蔥肉鬆麵包捲 （湯種法）	高筋麵粉	滾水、水、快發乾酵母、細白砂糖、 鹽、蛋、奶油	（湯種）高筋麵粉100g：滾水100g 高筋麵粉100g：水44g、快發乾酵母2g、細白砂糖26g、鹽2g、蛋1 奶油13g

和麵的辦法	和麵水的溫度	是否需發酵	是否需蓬鬆	是否加化學添加劑	是否需內餡	成熟方式
／水加上油拌勻 　／只加上油拌勻	冷水	否	否	否	是	烤
攪拌成麵糰。可加或不加鹼水拌勻。	冷水	否	否	否	是	烤
／水加上油拌勻 　／只加上油拌勻	冷水	否	否	否	是	烤
把材料和勻，揉成均勻而柔軟的麵糰。水加油。 　材料和勻，壓塑成扁方塊。只加油。	冷水	否	否	是	是	烤
加糖粉攪打均勻，再把蛋加入攪打到均勻融入。奶 低筋麵粉篩入，起司粉加入，一起攪拌成柔軟的麵 拌勻就好，不要過度攪拌。	不用水	否	否	否	是	烤
附加材料拌勻	冷水	否	否	否	是	炸
圈部份／所有材料，依序加入攪拌缸內，慢速攪拌 ；改中速攪打到光滑。 部份／材料攪拌成均勻的麵糊。	冷水	甜甜圈部份／放在溫暖處 （28℃）基本發酵2小時30 分鐘。 脆皮部份／否	甜甜圈部份／是 脆皮部份／否	是	否	炸
種）把滾水沖入麵粉裡，打勻，放涼。 下來6種材料一起打成糰，再加奶油打到擴展階	湯種滾水， 麵糰冷水。	基本發酵1小時。成型後， 最後發酵50分鐘至完全沒 彈性。	否	否	是	烤

吃老虎的人

我父母親都是南方人，一向習慣吃米飯，來到台灣後才有機會在朋友家吃到北方麵食，因為一九四九年前後有許多北方人也遷居來台，帶來各自的家鄉料理。我幼小時候，父母偶而說起哪個朋友娶了個北方太太，餐桌上常端出各式各樣的麵點，我聽了覺得好浪漫，彷彿那餐桌充滿了異國情調。那時父母去朋友家吃飯也常帶我同行，十歲那年第一次跟著去吳伯伯家後就最喜歡去他家，因為他家有個很會做麵食又很會說故事的廚子老張。

我對麵食，以及對那一代人境遇落差的認識，都是從老張開始的。

吳伯伯家在杭州南路的巷弄裡，大門進去是個小花園，高大的麵包樹長著寬闊茂密的羽狀葉。每次傍晚到他家做客，門口的燈光照著樹上墨綠色的葉子，還沒進到屋裡就先感受到一種異國情調。

吳伯母長得很貴氣，臉上永遠堆滿笑容，在門口迎接我們的第一句話總是對我母親說：「小秋，老張忙了一天，好高興要燒菜給妳吃呀！」說完拉開綠色的紗門往裡面喊：「老張，顧小姐來啦！」

我母親一九四七年秋末從上海帶顧劇團來台北演出，因為賣座好，約期一延再延，竟至一九四九年五月二十七日上海淪陷回不了家，婚前在永樂戲院唱了五年，戲迷眾多，老張也是其中之一，對我母親的到訪總是興奮期待的。每次我們到吳府做客，他不但做了各種好吃的北方菜和麵食，還特別多做了葷素包子各一大包讓我們帶回家。

老張是山東人，身材不高，一頭濃密的黑髮配著兩道同樣濃密的黑眉毛，但是神情很慈祥。他說話帶有家鄉腔，要很專心聽才能聽清楚。每次我父母親誇他做的餅好吃，他總是搖著頭說：「在我們北方，可不是這樣馬虎的，這兒的麵粉不對！我老家的麵在地底下久，有勁道，這兒的勁道不對，顏色也不對！」──那「搖頭」與「不對」，留給我深刻的印象，也是我幼時在父母的朋友臉上常看到的表情。

　　老張最吸引我的，是他的廚房。每次飯後大人在吳府客廳聊天，我就溜進廚房找老張，於是認識了發麵的盆子，神奇的擀麵棍，老麵糰，煎餅的鍋子，蒸包子的大竹籠……；都是在我家看不到的寶貝！

　　「這是做什麼用的啊？」我一邊摸著那些器具一邊好奇的問著，老張也總是仔細的解說。我才知道原本膨鬆的麵粉，經過「發」的過程，一個小麵糰會脹到兩三倍大，而一支短短的擀麵棍，可以擀出那麼多不一樣的包子皮、餃子皮……；簡直像在變魔術，讓我的小心靈充滿崇拜之情。

　　除了那些擀麵棍、蒸籠、煎鍋，老張的故事也讓我終身難忘。老張說，他們張家是大家族，有好多地，他又是長孫，從小過著富裕無憂的生活，出生時為了選誰當他的奶媽，全村的人還討論了一番呢。尤其讓我驚訝的是，他說小時候體弱多病，家人為了強壯他的身體，買了一隻老虎殺了醃起來，每天切一小塊燉給他吃；「整整吃了一年哩！」哇，我睜大了眼睛！以前只聽說過老虎吃人，沒想到眼前這個

很會做麵食的廚子，竟是個吃過老虎的人！

　　兇猛的老虎也許真的很補吧，老張說他吃了一整隻老虎後，身體真的變好了。難怪他不但有濃黑的頭髮和眉毛，眼睛還發出一種比一般人有神的光芒。

　　老張從小就會騎馬，家裡的馬車是四隻馬拉的，說起自己那隻馬，眼睛就更亮了。「我那隻馬兒特別好！」老張邊說邊比畫，作勢騎在他的好馬上，右手拿著一杯水向前走，越走越快，表示馬兒跑得很快，但是杯裡的水一滴都沒濺出來！「妳看那馬跑得多穩！」老張說：「當年我可真神氣呀！」── 他的語氣，就像現代的有錢少爺在炫耀他的MASERATI敞篷跑車！

　　大概也因家境富裕，家裡沒讓老張出外學習謀生技能，逢到戰亂，家人把金子縫在棉襖衣服裡，而偌大的家族，就只有他一人逃出來，一路上吃盡了苦頭，卻什麼都沒有了！在那個逃難的年代，富家公子最後到了台灣，舉目無親，沒有一技之長，甚麼也不會。幸而老張從小在家吃過好東西，至少知道怎樣做麵食，才能在吳府謀個安身之處。他在廚房說著那些麵食做法和舊日風光時，臉上有一種很特殊的神情，我長大後才了解，那是一種對家鄉的懷念之情。

　　我十六歲那年父親去世，之後不常去吳府做客，但是在那廚房與老張共處的畫面一直留在腦袋的某個抽屜裡，不時拉出拉進緬懷舊情。二〇〇九年去看賴聲川導演、王偉忠編劇的舞台劇《寶島一村》，看到戲裡的老奶奶教

台灣媳婦做天津包子，說內餡的菜與肉比例，冬天要肉六菜四，夏天要肉四菜六，我的眼淚就不自禁的流個不停，因為深藏在腦袋裡的老張又在眼前浮現了！我想起老張做包子時，一小個麵糰在他手上擀成八九公分直徑，然後一雙手不停的翻摺，有十幾個褶子的是肉餡，柳葉形狀的則是菜餡。他的肉餡很講究，用上等的牛肉醬了幾個小時，香得不得了。菜餡的主料是韭菜，他滴上香油告訴我，那樣能防止韭菜出水，然後配上炒過的蝦皮紅蘿蔔香菇提鮮。吳府那時已用桶裝瓦斯了，老張把做好的包子放入蒸籠，在火上蒸幾分鐘就熄火，悶十幾分鐘又開火，再蒸幾分鐘才算大功告成。他說那樣做是為了讓麵「發」起來，而且離火後不會變形。老張也做過豬肉餡包子，底幫厚薄相同，咬起來油水直流卻不覺肥膩。那包子雪白皮薄有勁道，我想他的「和麵」一定有獨到比例，後來再也沒吃過那樣有勁道但也鬆軟的包子。

《寶島一村》演了三個多小時，結束之後每個觀眾還收到一個天津包子。拿到那個包子，回想劇情的演變和包子的變遷，我的感觸更為深刻了。

其實北方各省的人大多會做包子，天津包子特別有名，大概因為天津是個河海交會的大港，水陸碼頭每日有眾多民工忙於搬運貨物，當地人就慢慢研發了各種方便的速食供應他們。包子的餡料有鹹有甜，變化多端，成了最受歡迎的快餐；那大概是中國最早的快餐食品吧？天津的包子以「狗不理」最富盛名，據說清朝年間當地有個孩子叫高貴友，其父因為四十才得子，希望這孩子好養，給他取乳名「狗子」。狗子後來學會做包子的絕活，每天客人盈門，他忙得連跟客人回話的時間都沒有，「狗不理包子」就那樣傳開了。

我幼時還不知道那些歷史，經過仁愛路看

到一面醒目招牌寫著「天津狗不理包子」，還以為是包子太燙，狗都不敢碰呢。以前的人沒有專利觀念，仁愛路那家和正統的天津「狗不理」是否有關不得而知，唯一可以肯定的是，那家包子店的老闆，也是一九四九年後來台灣的。有一次我們買了那家的包子回家，我母親說，包子固然要趁熱吃，但也要小心吃喲，否則會燙到背呢。我聽了滿頭霧水，我母親解釋說，有個伯伯吃蓮蓉包子，一口咬下去，湯汁順著手掌流到手肘，他捨不得那鮮甜的湯汁，舉高手用舌頭去舔，手掌上那已經咬開的包子被舉到與頭一樣高，湯汁和內餡瞬間掉落到背上，後背就給燙傷了。這故事雖然有點誇張，卻也生動的形容了包子好吃的程度。

現在台北街頭已有各種招牌的包子店，忙碌的上班族常常買兩個包子就解決了一餐，可見包子也已成為現代生活中很普遍的快餐了。

從老張的包子到《寶島一村》裡的天津包子，五十年過去了！吳伯伯吳伯母，老張，我的父母親，也和劇中的眷村伯伯奶奶一樣，分別來自東南西北各省，後來都在台灣落了地生了根。「一九四九」那一代人，在時代動亂中離開家鄉，可說是隨著上天安排的劇本，演出一個個悲喜交雜的流離故事；淚流完了也會笑，笑過了又會哭，是一段多麼艱辛而複雜的歷史啊！

謹以此文獻給那個時代，老張，《寶島一村》裡的爺爺奶奶，以及隨著「一九四九」的歷史洪流而不斷臨時更換劇本的長者。俗話說，吃苦像吃補，在我的心目中，所有走過那段艱辛歲月的長者，都像吃過了老虎的老張，越挫越勇，是偉大的臨時演員。

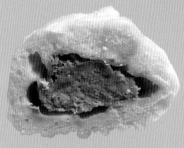

文化
食物

早餐

中國

豆漿、燒餅、油條是中國人所熟悉的早餐，一直親切的存在於中國人的生活文化中。燒餅夾蛋、蛋餅、米漿、鹹豆漿、甜鹹飯糰、酥餅……，這些陪著一代代中國人長大的早餐，像一位值得信任的朋友，總固定的在巷口等著，幾十年不變。

台灣有一家永和豆漿，從六○年代就很有名，又因與台北市僅隔著一條中正橋，生意從清晨的早餐做到晚上的消夜，我們有時也會專程由台北開車二十多分鐘去吃個消夜。店旁的窄窄巷弄口停滿了車子，店內也常座無虛席。因為名氣響亮受歡迎，後來永和豆漿在台北市開了很多分店，甚至全省許多市鎮都有了。最近幾年還跨足上海，開啟了永和豆漿的大陸風潮。

雖然生意興隆，永和豆漿的點餐卻很簡單，只要在門口跟老闆講好，他就朝裡面的夥計交代一聲，不消幾分鐘，熱烘烘的燒餅油條豆漿就端上桌了。沒有浪費一張紙一個字，但是你要加個蛋，不要蛋，半甜半鹹，燒餅油條要剪半不剪半，豆漿要燙點，要溫點，鹹漿要辣不辣，一樣樣都清楚無誤，態度體貼又親切。這溫暖的服務，在台灣每一家的永和豆漿流露無遺。但我在上海的連鎖早餐店吃早餐，感覺就不大一樣，也似乎少了點體貼與親切。這一餐是一天的開始呀，感覺是很重要的！

　　我也常在我家附近芝山岩的豆漿店吃早餐，那是家庭式的，一個老闆加上三位老闆娘，四個人手每天大清早起來磨豆，擀麵，生意很好。有次我問起經營的竅門，他們說，別無他法，就是認命的擀麵，甩麵，豆子放的比人多，人工和材料都不能省。三位老闆娘是老闆的得力助手，此起彼落的合作無間，手上忙個不停，臉上倒是滿足的！

　　燒餅油條其實都是麵粉做的，吃起來卻好像來自兩個不一樣的原料。酥酥的燒餅咬下去，像剪綵一般的開啟了我們一天的咀嚼典禮。那些黏在燒餅上的小芝麻特別香，我們捨不得掉到桌上，都會用指頭黏住再舔到嘴裡。中國人說「吃燒餅哪有不掉芝麻的！」意思是孰能無過的意思。我爸爸說過的一段芝麻插曲則更為傳神。他說，以前的早餐豆漿店，不時聽到拍桌子的聲音，不明底細的人以為有人在生氣呢。其實是因為以前的桌面都是用木板一片片併起來的，偏偏芝麻掉落到兩片木板之間的縫隙，用手沾不起來，又捨不得那一粒香酥的芝麻，所以就用力的拍兩下桌面，讓芝麻從縫隙間彈跳出來。這用力拍桌面的敘述，說明了芝麻是多麼香而誘人啊！早餐店的燒餅夾蛋則具有乾酥配溫潤的效果，是另外一個絕配的口感。還有飯糰，甜的是老油條配糖；鹹的有肉鬆、蘿蔔乾丁、老油條。蛋餅則是比較新式的吃法，餅皮有加些玉米粉，所以較軟，打個蛋一起煎熱，捲起來切段吃，總會淋點醬油之類的。此外酥餅等各類餅，也是早餐的特色。

　　稀飯饅頭，也是中國人熟悉的早餐，桌上擺著黃豆棗、豆棗絲、辣蘿蔔、醬瓜、鹹鴨蛋、肉鬆、豆腐乳、花生米、麵筋、辣筍、隔夜的剩菜，一小碟一小碟的很熱鬧；如果加個荷包蛋就更豐富了。

　　很多人不懂煎荷包蛋的竅門，不是煎破就是太老。煎荷包蛋，鍋裡放一點點油，蛋打下去後轉溫火，待邊邊起點泡即翻身，約八分熟就盛起放到盤子上，趁鍋內有點油，加入醬油，一陣起煙就熄火，把這醬油淋到蛋上，這溫溫吞吞的蛋被這一記醬油喚醒，口感立刻不同。

　　還有一些製作比較繁複的粥品，如港式早餐的皮蛋瘦肉粥、艇仔粥、柴魚花生粥，配上小蒸籠的燒賣。

　　南台灣的鹹粥也很豐盛，是以生米加入虱目魚骨、豬大骨熬煮，起鍋後配上煎烤過的手撕土魠魚碎片，灑上蒜末、蔥酥、芹菜末、韭菜花末，最後再鋪上一片虱目魚，鮮香味美，口感誘人。

一般家庭的早餐，因為趕著上班、上學，大多以簡單、快速、營養為原則。我讀復興小學中學時，周六也要補習到很晚，周日才可以好好的睡飽了再起床。但過了下午五點，功課還沒做，一朵烏雲彷彿又開始籠罩，意味著再過一天又是每天考試、死背的痛苦日子！所以一周之中，只有周日的上午是最輕鬆愉快的，起床後的那一餐，常常是早餐併著中餐吃。如果爸爸周日上午帶我們去紅寶石飲茶，那就更輕鬆愉快了，習慣過午才起的媽媽也特別起得早一些，陪我們一起去。

那時台北沒什麼茶樓，我們常去的紅寶石在仁愛路與四維路交口的遠東百貨樓上，爸爸預定了一個靠窗的桌子，媽媽攤開帶來的報紙，我們也帶了故事書，邊吃邊看，好不悠哉。

飲茶是指喝茶與吃點心，兩者一樣重要。侍者通常會先來問飲什麼茶，媽媽喜歡點香片或清茶。侍者把裝著茶葉的壺端來後，沖下開水，媽媽就會立刻把壺裡的水倒到我們使用的碗與茶杯，連同筷子前端沖洗一下，侍者再沖一次開水到壺裡，這才完成了所謂開茶的儀式。這時侍者也送來一人一盤的沾醬，有紅色的辣椒醬與黃色的芥辣醬。桌上也有醬油與辣椒油的小罐子。

爸爸告訴我們，香港人去茶樓飲茶時，要用三根指頭敲敲桌面向侍者表示致謝。傳說是很久以前，一個北方皇帝喬裝成平民百姓到東南地方出巡。皇帝與他的大臣們到了一家茶樓吃飯，為了掩飾身份便站起來為大臣們倒茶，他也知道臣子們沒有辦法接受，所以事先想出以手指輕敲桌面，代表臣子向他磕頭的辦法。爸爸說，他也不知道這傳說的真假，反正香港人的飲茶習俗是這樣的。

中國人一向是愛吃點心的，且有「北方點心在精，南方點心在博」之說。為了求香求精緻，點心難免比較油膩，而喝茶可以消脂，二者的結合堪稱絕配。

我們一邊吃著點心一邊喝茶，穿著中國式旗袍上衣與長褲的阿姨們推著點心車來來回回，上面有各式各樣的小菜與小點心。「點返個心頭好」，這是廣東話選個你愛的意思。我們小孩子最期待蛋塔、叉燒包、春捲、馬來糕的車子。我也很愛蘿蔔糕的車子，邊走邊煎，香噴噴的冒著煙，給人溫馨的感覺。推車上還有很多小蒸籠，甜的與鹹的點心分開放，也都熱騰騰香噴噴的。他們也備有菜單，可以點粥品或炒麵蔬菜之類。爸爸媽媽各自看報，也關

心一下我們吃些甚麼，我們則好自在，好滿足。不久桌上堆了好多不同花邊的空盤子，不同花邊代表不一樣的價錢，侍者也不用帳單，心算一番就照他說的數字去櫃台結帳。

我長大後到香港的茶樓飲茶，看過一張帳單，上面有「小點」、「中點」、「大點」、「頂點」，分別代表食物的大小與價錢。帳單上還有最低消費的「一盅兩件」，即一壺茶，兩樣點心；香港最有名的兩樣點心是叉燒包與蝦餃。

香港的飲茶文化盛行，茶樓常擠滿了人，有時沒位子還得跟別人併桌，我極不習慣。我們的紅寶石時代，靠窗那一桌是自在的小天地，可以開心的笑鬧，悠閒的享用，跟別人併桌哪有那份閒情？而且旁邊站著搶位子的人，每次都只能匆忙吃完就走人。

香港的陸羽茶室就不需搶位子，也不必跟陌生人併桌，因為它是高檔茶樓，門口還有頭上高高纏著白布帽的印度阿三站在門口迎接賓客，幫忙開車門。

陸羽的一樓較寬敞，供一般客人飲茶，二樓以上則隔成幾個小間包給熟客，我曾跟一位香港長輩去過二樓，房間內部是三〇年代的設計，門口還放著痰盂罐，牆上的畫作不是張大千就是溥心畬等。後來聽說畫作一夜間被偷光，損失慘重。

陸羽的菜單每周更換一次，菜色都以五個字取名，分鹹品、甜品、飯麵小食，又有酥、餃、卷、粽、糕、角、燒賣等；早餐就開始提供「紅燒大鮑翅」。他們的菜單也別具特色，以粗紋的紙印著鮮紅的字，聽說是以自家印刷機精製，不用現代的輸出設備。

陸羽是唐朝人，精於茶道，著有世界第一部茶葉研究專書《茶經》，後人奉他為「茶聖」，享年七十二歲。據傳他是湖北人，原是棄兒，為智積禪師收養，禪師以《周易》占卜而得：「鴻漸於陸，其羽可用為儀。」故而取名陸羽，並從小調教他泡茶。後來河南的李齊物供他唸書，他於讀書之餘幫夫子的朋友們煮茶烹茗，以此為樂兼而學習。後來他即致力於茶學研究，尋訪各地蒐集資料，製成標本，於公元七六五年寫出《茶經》初稿，公元七八〇年付梓發行，留給後人種茶、焙茶技術的資料，並提倡飲茶、品茶的益處與樂趣。

陸羽的《茶經》分三卷十章，內容分別為：源、具、造、器、煮、飲、事、出、略、圖。他所開創的茶葉研究，建立了茶葉的實務觀察與理論結構，至今仍為後人所尊崇。香港陸羽茶室以他為名，其點心之精緻，茶葉之講究，當然不在話下。

在國外一些比較大的中國城，最近二十多年也出現不少茶樓。紅寶石的點心推車早已被淘汰，取而代之的是一張張勾選單，減少了我對飲茶那份輕鬆自在的感覺。而且勾選單的品類密密麻麻，比傳統的港式茶樓還複雜；計有蝦餃、燒賣、鳳爪、山竹牛肉、雞扎、鴨腳札、牛柏葉、排骨、糯米雞、潮州粉果、鯪魚球、魷魚、灌湯餃、魚翅餃、鮮竹卷、牛肚、蝦腸粉、牛肉腸粉、叉燒腸粉、馬拉糕、奶黃包、蓮蓉包、叉燒包、雞包、春卷、煎堆、炸雲吞、炸魷魚鬚、咸水餃、芋餃、蘿蔔糕、芋頭糕、馬蹄糕、煎釀青椒、煎韭菜餅、煎蝦米腸粉、皮蛋瘦肉粥、艇仔粥、碎牛粥、魚片粥、柴魚花生粥、豬紅粥、廣州炒麵、揚州炒飯、芝麻卷、椰汁糕、芝麻糊、蛋撻、豆腐花、芒果布甸。有時我請外國朋友去吃，他們對於每一道的口感總是大為驚豔，我則是內心驕傲嘴巴含笑的說：「這只是我們的早餐而已！」

文化
食物

丁

竹
與
中
國
人

　　我讀小學的時候，家中一樓上二樓的轉角牆上掛著一幅墨色淋漓的竹子，落款人是「葉公超」。我每天上樓下樓都朝那幅畫看兩眼，印象好深刻。在外面看到竹子或讀到「竹」這個字，總會自然的想到「葉公超」。後來我們搬了幾次家，那幅畫一直懸掛在明顯的位置。

　　在日常生活中看到竹子，總是枝幹修長而直挺，經歷寒冬依然翠色盈盈，自成一片清幽美景。上了中學後，讀到「歲寒三友」是松、竹、梅；「花中四君子」是梅、蘭、竹、菊，又聽母親說起葉公超的事蹟，我對竹就更為尊敬了。

　　葉公超畢業於英國劍橋大學文學系，抗戰時曾任西南聯大外文系主任，國府遷台後曾任外交部長，一九五八年出任駐美大使，深受西方領袖肯定。他的博學，詼諧與才氣，贏得許多尊敬、愛慕與友誼，個人魅力十足，因此有「文學的天才，外交的奇才」之美譽。一九六一年因外交理念與當局見解不一，奉召返台述職，突然被迫離開好不容易打拼下來的外交舞台。七〇年代著名的專欄作家楊子，對他有這樣的評價：「既有器識過人、恃才傲物的名士風度，又是一個才華橫溢而終為俗吏所讒的悲劇英雄。」

　　在中國歷史上，許多朝代都有類似的懷才不遇或生不逢時的悲劇故事。葉公超英文造詣深厚，駐美期間以其「王者英語」的風範與各國政要杯觥交錯，意氣風發，屢有建樹。然而書生風骨不敵政客野心，黯然退離官場後，全心寄情於詩詞與書畫藝術，二十年間悠遊自在，瀟灑而終。

　　他說凡是受外人壓迫而個人心情不願服從壓迫者，就特別喜畫竹，所以竹子可以說是反抗壓迫的象徵。中國文人自古以來常以詩詞繪畫表達心中的意境，其中又以繪畫最為直接而含蓄。宋元以後，文人更常藉畫竹抒發心中的靈氣。葉公超從小就學書畫，尤以蘭、竹見長。我們家那幅墨竹，真有「清氣迫人眉宇，挺秀出塵，飄然灑落」的意境。

葉公超的書法一派書卷氣質，渾厚且含蓄，剛柔並濟。親近他的朋友說，在他的心中，政要王侯與百姓寒士無分軒輊，因此其詩詞畫作經常流露平等自由的人格尊嚴，題在畫作上的詩也別具一格，如「未出土時先有節，到凌雲處總無心」；「無限清懷紙上生，竹竿抱節石藏貞，故家喬木今何在，夢裡縱橫見落英」；「枝枝葉葉見幽情，辜負春光碧玉生，捲起湘簾吹夢境，夜來風雨變秋聲」；「研碎冰花圖雪竹，世情淡薄此心寒」；「歷劫不撓君子節，畫中自有歲寒姿」……不但字句重視語言的視覺，感覺與聽覺，也流露他的高風亮節。

中國的第一部植物學的書《南方草木狀》，將植物分成竹、草、木、果四類，竹本身就是一大類；晉朝的《竹譜》也以其不剛不柔，非草非木來說明它的獨特性。

中國詠竹的詩很多，最早出於《詩經》，如：「籊籊竹竿，以釣於淇」，顯示人們自古以來就以畫竹詠竹表達心聲。

至於與竹有關的故事，則屬晉朝初年的「竹林七賢」最為著名。七賢是指阮籍、嵇康等七位信仰老莊哲學的好友，由於輕視當時的朝廷與禮法，時常聚於竹林之間飲酒高歌，縱情清談，暢抒己懷。他們的形象，成為千古以來文人追求自由精神境界的楷模，也是遠離世間榮華富貴的象徵。竹子的筆直，性空，有節，也一直被視為全德君子的風範。

二十多年前我與仁喜搬到陽明山定居，住家周遭竹林處處，每次走入林中漫步，空氣清新而純樸，讓人有著庶民的情懷，也有思古之幽情的感受。當陽光灑在竹林間，青綠的葉影好像有聲音一樣的筆直穿透下來，當微風吹進竹林，則看到竹子能屈能伸，高風勁節的特性。所以走一趟竹林，總讓人神清氣爽，俗慮全消。

台灣高溫多濕，適合竹子生長，品類多達六十多種，可以說是「竹繁不及備載」，但可生產食用筍的只有麻竹、桂竹、綠竹、孟宗、轎篙竹、刺竹還有列為管制採收的高山箭竹等。綠竹筍的纖維細緻，是台灣筍類中風味最特別的。孟宗竹所產的冬筍，則是冬季最珍貴的天然食材。轎篙竹的筍，質地較軟，通常在採收後立刻入水煮熟，裝入鐵桶密封後運到市場販售。刺竹筍味略苦，煮熟去苦味後可做酸筍與筍乾。不過刺竹最大的功用是做防風林或防護林。台灣早年有許多村莊名「竹圍」，其四周種的都是刺竹。高山箭竹是極為少數的包籜矢竹，分布於高海拔1800～3800公尺之間，竹桿纖細堅韌，竹筍的籜葉到長大成筍都不脫落，靠地下走莖蔓生。陽明山的小油坑一帶也盛產箭竹，附近居民採摘箭竹筍販賣長達數十年，很受當地餐廳和遊客歡迎。陽明山的箭竹高度不及一公尺，筍子特別鮮嫩，後來雖有移到別處種植，但成長後比原有的粗大，筍子也比較硬，肉質無法跟陽明山上的比擬。不過有關當局為了保育的需要，最近已經禁止採摘。有些民眾不知道這項法令，還因採箭竹筍而被抓去坐牢呢。

以食為天

竹子除了在精神上代表一種不卑不亢的風骨，清朝時代的詩人鄭板橋寫過一句「一兩三枝竹竿，四五六片竹葉，自然淡淡疏疏，何必重重疊疊」，也描繪出竹子的一種簡約意境。在實際生活上也是與人類生活關係最密切的植物，幾乎全身都可利用。除了可以作圍籬，葉子可以包粽子，鮮嫩的竹筍可食用，也可以就地剝葉，蒸煮與發酵，再曝曬後做成筍乾。「新筍已成堂下竹」之後，所有的竹子都可作建築、工藝品、家具的材料。台灣鄉下以前有很多「竹管厝」，就是隨地取材用竹子蓋的。家裡的桌子、椅子、床鋪、嬰兒車、童玩、竹編籃、紙張也都可以用竹子做。還有農田裡用的簍子，清掃用的掃把，飯桌上的罩子……，處處可見竹子融入人類的生活中。

　　竹籃子或竹簍子，不止實用，也展現編織的設計藝術與技巧，充分顯示線條造型的多樣性。每一個中國女人的廚房，或多或少都有些竹籃子，用以裝針線，水果，乾貨。我四處蒐集來的籃子簍子，每一個都有不一樣的功能與背後的故事。

　　還有一種我最喜歡的竹製抱枕，不但實用而且具有想像力。它是用細竹篾編成長方形，中間空的，有點像枕頭，但比枕頭瘦，是以前沒有冷氣的時代，睡覺時習慣抱個東西的人的恩物。因為抱著人太熱，就發明了這樣的竹抱枕，取名「竹夫人」，多麼傳神呀！

　　竹子還有個最大的特性是生長快速，不像木材需要種幾十年甚至百年以上才能使用，因此近年來它被視為環保材料，研究開發了不少新功能。例如含有天然礦物質的竹炭，是一種多孔質材料，可調節濕度與水質，也可釋放遠紅外線。這種全新的材料，不但可應用在建材上，也可做布料、毛巾、衣物等等，真是一個令人鼓舞的材料發明。

清朝時代的詩人鄭板橋寫過一句「一兩三枝竹竿，四五六片竹葉，自然淡淡疏疏，何必重重疊疊」，也描繪出竹子的一種簡約意境。

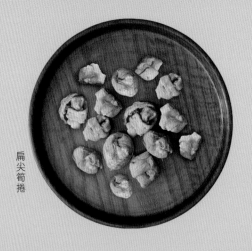

扁尖筍捲

扁尖筍

回頭說竹筍，它是中華料理獨有的食材。各式各樣的筍乾，光以形狀而論就有象鼻筍、扁尖筍、針筍等等，產自不同的地區，也依據各地的飲食習慣燒製不同的美食。北宋著名的文學家蘇軾，發明的東坡肉流傳至今，但他說過一句名言：「寧可食無肉，不可居無竹，無肉令人瘦，無竹令人俗。」殊不知把筍乾與豬肉燉在一起，那人間美味是足以讓人俗而不悔的。

各種筍或筍乾燒肉都很好吃，筍乾最好先用洗米水浸泡一夜，比較容易煮透，配以三層肉燉煮越久越入味。我阿姨燒的筍為玉蘭筍，來自孟宗竹，她一次總燒上一大鍋，燒好放冰箱，待冷卻後撇去上面的油脂。阿姨講究保養，擔心玉蘭筍的纖維較粗，怕我們的消化道受不了，所以每次都有配額量，端上桌的時候只上一點筍，據她說，肉的味道都到筍裡了，筍比肉好吃。那寬厚的玉蘭筍入口，真的分不清那是肉還是筍；明明是肉的味道，口感卻是筍。她那一大鍋，在冰箱越放越好吃，有時她還會在快要吃完的時候，把剝了殼的水煮蛋放進去滷汁，滷出來的蛋還帶著筍香呢。

上海人的最愛則是扁尖筍，以浙江天目山出產的最為有名，是用當地的烏雞筍等經過盤捲，敲打至扁的形狀，加鹽醃製曬乾而成。好的扁尖筍，摸上去時，鹽霜不會沾到手上，好像是筍自然結晶出來的，色澤青黃帶翠，筍身結實，略帶清香。我阿姨買了扁尖筍回來，總在煮前再曝曬過，她說台灣氣候潮濕，含鹽份的東西較容易吸水長霉。她還會用摸筍的溫度來判斷是否快要發霉呢！

扁尖筍不能用切的，要用撕的，成條狀後泡在水中一陣子才煮，放雞湯中則雞湯有一股清香味，若放在烤麩中，則讓麵筋與冬菇都有香味，是素食最好的味覺來源。

象牙筍

玉蘭筍

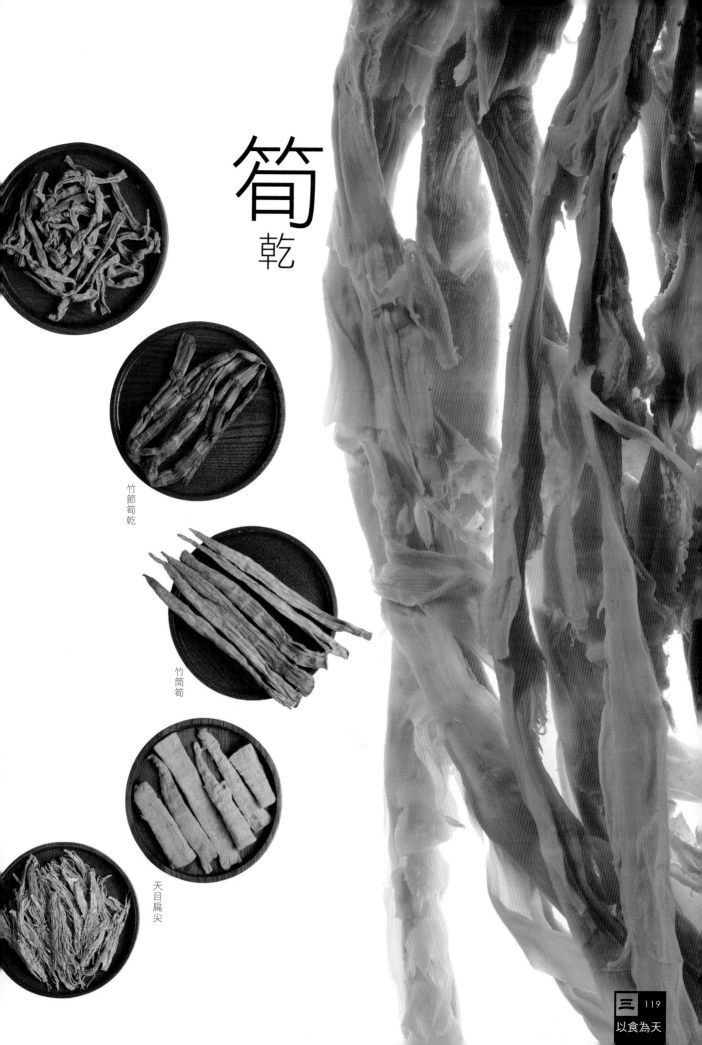

筍
乾

竹節筍乾

竹筒筍

天目扁尖

我家附近的竹林都是綠竹，夏天採收綠竹筍的季節，清晨五點就要提著手電筒到竹林去，因為蚊子很多，腳上還得穿上可掛蚊香的籠套。那時新筍還沒竄出來，看到地上一坨濕潤的土，從旁邊挖下去就是一支鮮嫩的筍。採收竹筍時不要讓筍出土，是因為一出土就可能會苦。

　　綠竹筍的特色是清香鮮美，煮綠竹筍必須連外殼洗淨，放入過頂的冷水裡，也有人會加上一碗白米或米糠與兩根乾辣椒借以去除苦澀，以大火煮滾十分鐘，然後再以一斤約加一分半鐘的時間悶煮，熄火等待冷卻，讓筍殼的清香氣味浸入筍肉中，所以什麼也不用加就是人間美味。切成小塊沾美乃滋或醬油吃各有滋味。切絲與肉絲混炒或切片煮湯，也都甘美可口。如若煮湯，在地人會選用比較深的土蓋的筍，通常尺寸比較小，這種筍煮的湯，更為甘甜爽口。但若看到筍頭冒出綠色，表示此筍出土一段時間，則最好把外殼剝掉再煮，這通常就是切絲炒肉絲或豆瓣醬。筍尖的部分通常都順切，底部則要橫切，這樣比較容易入味。

　　每年綠竹筍盛產的季節，我都會煮一大鍋，待冷後放入冷凍庫，季節過了，想吃就可以拿出來打牙祭。知道人間有此尤物，如果食無竹，就覺多麼無味！而有竹斯有筍，如果有一天能與蘇東坡比鄰而居，我一定告訴他：「居有竹，食有竹，不瘦不俗不離竹」。

零食

台灣的

冰品文化

淡金色的愛玉凍有著透明晶瑩的光澤，加上一層雪白剉冰和微甜的黑糖水，就是軟溜溜又有點Q的愛玉冰，炎炎夏日吃下一碗，頓覺滿心舒坦，暑氣全消。愛玉是一種長在中海拔山區的木本植物，果實的外形和內部的細籽有點像無花果，含有豐富的膠質，具有清涼解熱潤喉等功效。連雅堂在一九二一年出版的《台灣通史》裡記載，以前的人不知道它的名字和用途，一八二一年清朝道光年間有個做小買賣的商人行經嘉義後大埔社山區，因為天熱口渴，掬了一捧溪水解渴，卻見溪水浮著一層透明的凍，好奇的掬起一些來吃，竟然清涼沁心脾，而且溪裡還有些破裂和尚未破裂的果實，猜想是溪邊的樹上掉下來的，於是把果實撿回家用水清洗，果然凝結成凍，加點糖水更好吃。此後他就每天如法炮製，叫他女兒「愛玉」拿去街上販賣，人人覺得新奇又好吃，但因不知道它的名字，久而久之就都稱為愛玉了。台灣的野生愛玉子大多生長在嘉義、南投一帶山區，但數量不多，林務局正在研發可以在低海拔地區種植的愛玉子，讓它的產量可以增加。

　　仙草則是一年生的草本植物，中國古代稱為涼粉草，有涼血解毒之效，也可治療燒燙傷。通常是將成熟的植株曬乾後搗爛水煮，去渣後加米漿再煮，冷卻即成仙草茶。現代商人在水中加少許鹽同煮，去渣後以三十比一的比率添加膠質（吉利丁）而成仙草凍，連超市都已有盒裝販售。如以二十比一的比率添加樹薯粉，勾芡成糊狀則為燒仙草，冬天尤其受歡迎。

　　愛玉與仙草，是剉冰最為健康的材料，也是台灣人夏日不可缺少的解暑聖品。通常在製作成形的過程都不會加糖，吃的時候才加，而且大多採用黑糖。台灣在日據時代即開始大量發展糖業，五〇年代國府遷台初期，蔗糖外銷是最重要的外匯來源。黑糖是甘蔗榨汁煮滾去除水分後的第一道成品，再經提煉才成為黃砂糖、冰糖；越精緻營養成分越少。黑糖是原始成品，保留了豐富的鐵質、鈣、鎂等養分，以前農忙時節，農家都以米苔目或粉圓加黑糖水做點心，既可補充體力也可預防中暑。近年保健觀念抬頭，也有人以手工製作黑糖販售，很受民眾歡迎。

　　我小的時候，街上有很多剉冰店，我最喜歡放了四種蜜餞的四果冰，淋上黑糖水，酸酸甜甜的，是當時最有名的冰品。我爸爸那時經營金山農場，生產草莓，也與美國「綠巨人」合作供應冷凍蔬菜，因為冷凍設備不夠，向小美冰淇淋租冷凍庫，所以也帶我們去東門的小美冰淇淋吃過新口味的紅豆牛奶刨冰，牆上還貼滿各式冰果的名稱，還有花生湯與西瓜等。爸爸說，小美的創辦人陳氏兄弟日據時代原在台北橋下開剉冰店，後來移到東門開了「小美行冰店」，推出紅豆冰棒、綠豆冰棒都很有名，後來推出本省人做的第一杯冰淇淋，有香草、草莓、巧克力等口味，店名才改成小美冰淇淋。我記得店裡的椅子很像學校的課椅，但顏色比較鮮豔多彩，靠背上還鏤空刻了「小美」兩字，桌椅都是用厚重的檜木做的，據說一度是台

北最熱門的相親之處。多年後我與小美的第二代，也是台灣有名的室內設計師陳瑞憲聊天，說起當年的往事，他還記得小美曾向我們金山農場買草莓做冰淇淋呢！

小美的對面是當時尚未拆除的國際學舍，夏天到那裡聽音樂會，順便去小美吃一客香甜的冰淇淋，是許多台灣人的美好回憶。後來國際學舍拆掉了，現在變成大安森林公園。

那時還有一種克難式的冰淇淋，是小販騎著車按著叭咘在大街小巷叫賣，車後有好幾個像早期熱水瓶的保溫壺，裡面裝著各色口味，我很喜歡粉紅色與巧可力色兩種口味。叭咘車的冰淇淋裝在餅乾做的小小杯子裡，是可以整個吃掉的。但是我母親擔心那種冰品不衛生，每次我聽到叭咘聲要去買，她總是不同意，不過我趁她沒注意偷跑出去吃了很多回。小販的腳踏車後座還有個木盒子裝著飛機台，買的人可以跟他比大小，賭贏了就有免費的吃。木盒邊有大小不一的勺子，每次小販輸了就拿小勺子挖一點給我，我好氣他欺負小孩子，卻不知如何跟他理論，後來想起來還會氣呢！

枝仔冰則比叭咘冰淇淋還克難，很多小販連腳踏車都沒有，身上背著木箱子，搖著鈴鐺沿路販售，還不時的叫喊著：枝仔冰來囉，鳳梨冰，梅仔冰，綠豆冰，牛奶冰，花生冰，芋頭冰，每項都有哦……。聽到那聲音，大人都會心動，何況是小孩呢！

那個叫賣枝仔冰的年代，代表一個物質還很單純的時代，許多台灣人都留下滿足的夏日回憶。當時有一句俗話：「要不去做醫生，要不去賣枝仔冰」，有很多窮苦青年靠著販賣枝仔冰而成功致富。台灣經濟起飛後，甚至有人說：「賣枝仔冰，卡贏做醫生」，可見小小一支枝仔冰，對人的命運也有很大的影響呢。

青草茶，冬瓜茶，酸梅湯，彈珠汽水，也是許多人喜歡的消暑飲品。台北萬華區現在有一條著名的青草巷，販售的青草有消暑的也有治病的，琳瑯滿目，無奇不有。現在的青草茶大多設攤賣，以前則是用推車，深色的木頭中間放個有蓋子的鋁製桶子，旁邊配上很多綠色的青草，很好看。嘴巴長火氣時就去喝一杯，有點苦，加點蜂蜜比較好喝。彈珠汽水，最吸引人的是曲線玲瓏的瓶口有顆彈珠，喝完了甜甜的汽水，還可以把玩好久。酸梅湯，當時台北最有名的是新公園斜對面的公園號，夏天去西門町看電影前一定先去喝一杯冰鎮酸梅湯，一口喝下去，彷彿冰到頭頂，好痛快。現在喝冰鎮酸梅湯已不算稀奇，超市都買得到。

有一次我們在台北國賓飯店的四川館開

同學會，我請餐廳開例準備我們學生時代常吃的蜜豆冰做飯後甜點。同學沒料到，用餐完畢看到一盤盤剉冰端上桌，還有煉乳和林林總總的配料，大家一陣驚喜就爭先搶後的邊吃邊回味，說著當年在學校邊巷口冰果店吃冰的情景，老闆娘怎樣怎樣啦……。一家冰果店，一碗蜜豆冰，懷舊也能讓我們的回憶親切又如蜜。

我們的冰品文化，一直不斷演變，推陳出新。「青蛙下蛋」是二十幾年前第一次聽到的，原來是指番薯粉做的小粉圓。後來漸漸聽到「珍珠奶茶」，是紅茶加粉圓與奶精搖出來的飲料，現在也成了台灣奇蹟的一部分，不但吸引很多外國觀光客，也已行銷到世界各地，有「東方可口可樂」之稱。

最近幾年，台北忠孝東路四段二一六巷出現一家「東區粉圓」，店前經常大排長龍。它的剉冰除了配粉圓還有各式大小的脆圓、芋圓、湯圓、地瓜圓、蒟蒻圓、涼圓，以及綠豆、紅豆、大紅豆、蓮子、麥片、杏仁豆腐等，真是五花八門。

近年也流行芒果冰，老闆看準了芒果的香甜與色澤，材料很豐富，除了剉冰還加上一球芒果冰淇淋。還有「鮮芋仙」，現在也到處都是。中醫師看到了，一定會搖頭說不能多吃呀！好在生意人很聰明，也推出燒仙草、熱杏仁露等，讓體質不適合吃冰的，可以用另外一種方式過過癮。

本章節所拍攝的冰品，都是自己做的。我喜歡吃四果冰，所以用糖水加了些蜜餞做了個冰碗，冰凍成形後再剉上冰，再加上蜜餞與黑糖水，可以連碗一起吃光，是個別緻的冰品設計。至於枝仔冰，大小剛好一口，我取名為「口仔冰」，意思是過個癮就好。冰品固然可以消暑，還是不能多吃呀。

冰碗 的製作

我從Martha Stewart的書中學會做冰碗，並且更誇張的做成可以吃的碗！一個大碗，裡面放一個小碗，中間灌糖水，放入蜜餞，用膠帶固定，放入冷凍櫃，就是一個可以吃下去的碗！有時候我會放小花小葉的，放個小透明盤，放生魚片，或是一句Happy Birthay的切割壓克力字，放塊巧克力，收到的人都驚訝，效果很好。也可以用一大桶，一小桶，做冰香檳的美麗氣氛桶。可以把冰甜酒放入空的紙做的長方形牛奶瓶，冰出來後，可看到又方又圓又長的造型，更合乎冰酒越冰越好的理論，做做看，好玩極了！

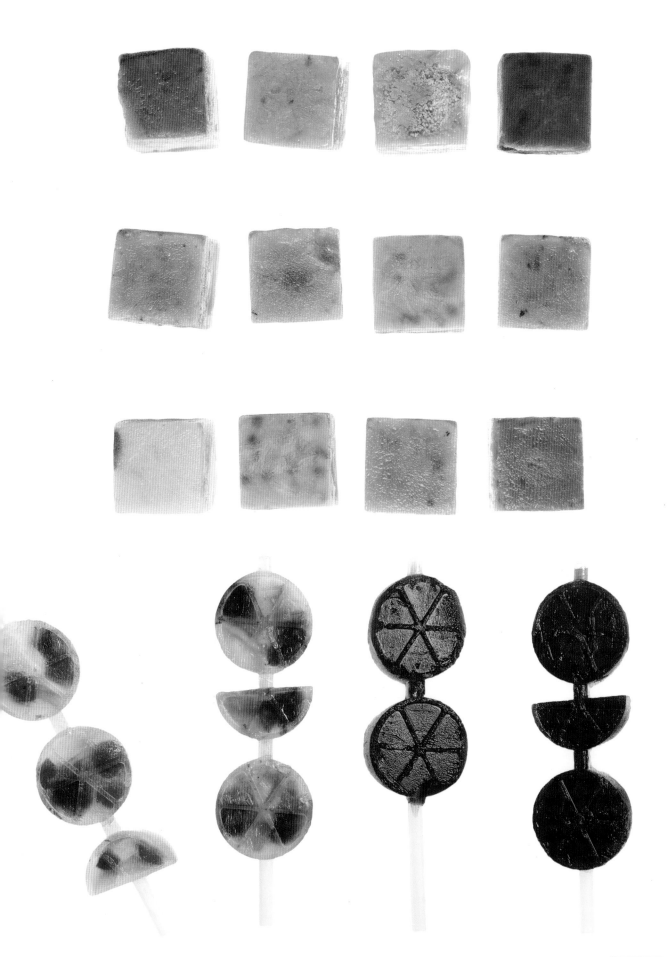

匠心手藝

北宋
(960AD)

李成《晴巒蕭寺圖》

燕文貴《秋山蕭寺圖》

趙令穰《水村圖》

燕文貴《溪山樓觀圖》

文同《墨竹圖》

《匡廬圖》

巨然《秋山問道圖》

黃居寀《山鷓棘雀圖》

范寬《谿山行旅圖》

范寬《臨流獨坐圖》

郭熙《早春圖》

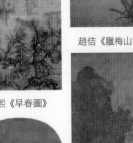

趙佶《臘梅山禽

江堤晚景圖》

董源《龍宿驕民圖》

寫生珍禽圖》

周文矩《重屏會棋圖》

崔白《雙喜圖》

李公麟《仙山樓閣圖》

郭熙《樹色平遠圖》

趙令穰《橙黃橘綠》

南宋 蕭照《山腰楼

立本《蕭翼賺蘭亭圖》

唐 傳張萱《搗練圖》

五代十國 董源《夏景山口待渡圖》

東晉 顧愷之《洛神賦圖卷》

代帝王圖》

唐 梁令瓚《摹張僧繇五星二十八宿神形圖》

西漢 (206BC)	魏晉南北朝 (265AD)	隋 (581AD)	唐 (618AD)	五代十國 (907AD)

西晉 嘉峪關畫磚《狩獵圖》

敦煌278窟菩薩壁畫

閻立本《步輦圖》

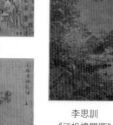

韓幹《照夜白》

李思訓
《江帆樓閣圖》

貫休
《十六羅漢圖—阿氏多》

南朝梁 張僧繇《雪山紅樹》

敦煌壁畫《菩薩與迦葉》

馬王堆辛追墓《帛畫幡》

東漢 (25AD)

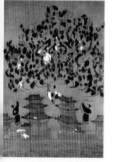

和林格爾墓室壁畫
《雙闕桂樹》

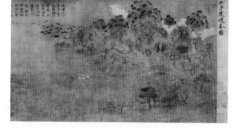

隋 展子虔《遊春圖卷》

韓幹《牧馬圖》

無款《明皇幸蜀圖》

吐魯番阿斯塔那墓
《屏風絹畫仕女》

敦煌103窟壁畫
《維摩詰經變圖》

關仝
《關山行旅圖》

東晉 顧愷之《女史箴圖卷》

南朝梁 蕭繹《職貢圖卷》

唐 傳周昉《簪花仕女圖》

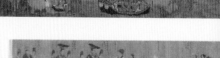

唐

唐 吳道子《天王送子圖》

南朝宋《竹林七賢與榮啟期》磚畫

六朝	四大家：顧愷之、陸探微、張僧繇、曹不興
隋	山水：展子虔
唐代	二大家：閻立本、吳道子 綺羅畫派：張萱、周昉 北宗山水：李思訓 南宗山水：王維
五代	花鳥徐派：徐熙
西蜀	花鳥黃派：黃荃、黃居寀
南唐	江南畫派：董源、巨然
北宋	山水三大畫派－江南畫派：董源、巨然 　　　　　　　　　中原畫派：荊浩、范寬、關仝 　　　　　　　　　山東畫派：李成、王詵、郭熙 細筆白描畫派：李公麟 簡筆畫派：梁楷 民俗畫派：張擇端 米點山水：米芾、米友仁 宣和院體派：趙佶、王希孟
南宋	四大家：李唐、劉松年、馬遠、夏圭 湖洲竹派：文同
元	四大家：黃公望、吳鎮、倪瓚、王蒙
明	院體派：邊景昭、謝環、林良 浙派：戴進、吳偉 武林畫派：藍瑛 吳門畫派：沈周、文徵明、唐寅、仇英 松江畫派：董其昌 老蓮畫派：陳洪綬
清	虞山派：王翬 ┐ 婁東派：王原祁、王時敏、王鑑 ┘ 四王 ┐ 清六家 　　　　吳歷、惲壽平 ┘ 四僧：石濤、石谿、朱耷、弘仁 新安畫派：弘仁、查士標、丁雲鵬 金陵畫派：龔賢、樊圻 海西法畫派：郎世寧 波臣畫派：曾鯨 揚州畫派：鄭板橋、金農、黃慎、汪士慎、羅聘、邊壽民、華嵒、 　　　　　李方膺、李鱓、高翔、高鳳翰、閔貞 海上畫派：任伯年、吳昌碩、趙之謙 嶺南畫派：高劍父、高奇峰、陳樹人

竹林七賢：阮籍、嵇康、山濤、劉伶、阮咸、向秀、王戎
清初四王：王時敏、王鑑、王翬、王原祁
清初六家：清初四王、吳歷、惲壽平
清初四僧：朱耷、石濤、髡殘、弘仁
揚州八怪：金農、鄭燮、黃慎、高翔、汪士慎、李鱓、李方膺、羅聘

中國畫

匠心手藝

▲ 元 黃公望《富春山居圖》

▲ 元 黃公望《剩山圖》

續147頁

《雲橫秀嶺圖》

李衎《修篁竹石圖》

龔開《駿骨圖》

錢選《桃枝松鼠圖》

吳鎮《漁父圖》

《槎木竹石圖》 吳鎮《洞庭漁隱圖》

王蒙《青卞隱居圖》

趙雍《駿馬圖》

南宋 馬麟《秉燭夜遊圖》

黃公望《天池石壁圖》 高克恭《墨竹坡石圖》

倪瓚《容膝齋圖》

衛九鼎《洛神》

李士行《竹石圖》

劉貫道《元世祖出獵圖》

北宋 王詵《漁村小雪圖》

北宋 李公麟《臨韋偃牧放圖》

北宋 武宗元《朝元仙仗圖》

南宋 揚無咎《四梅圖》

金 王庭筠《幽竹枯槎圖》

金 武元直《赤壁圖》

南宋 米友仁《瀟湘奇觀圖》

迪《風雨歸牧圖》

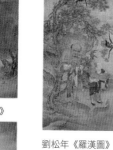

劉松年《羅漢圖》

馬遠《華燈侍宴圖》

馬遠《山徑春行圖》

梁楷《潑墨仙人圖》

牧谿《六柿圖》　　夏圭《雪堂客話圖》　梁楷《李白行吟圖》

唐《萬壑松風圖》

梁楷《出山釋迦圖》

馬麟《靜聽松風圖》

林椿《果熟來禽圖》

米友仁《雲山圖》

李嵩《花籃圖》

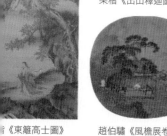

東籬高士圖》　　趙伯驌《風檐展卷圖》　林椿《山茶霽雪》　　牧谿《觀音猿鶴圖》　　夏圭《觀瀑圖》　　馬和之《月色秋聲

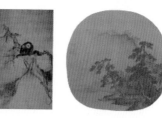

五代十國　顧閎中《韓熙載夜宴圖》

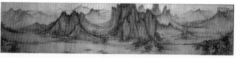

北宋　許道寧《漁父圖》

五代十國　趙幹《江行初雪圖》

北宋

《千里江山圖》

元　王振鵬《寶

北宋　李公麟《十八應真圖》　　南宋　趙孟堅《墨蘭圖》

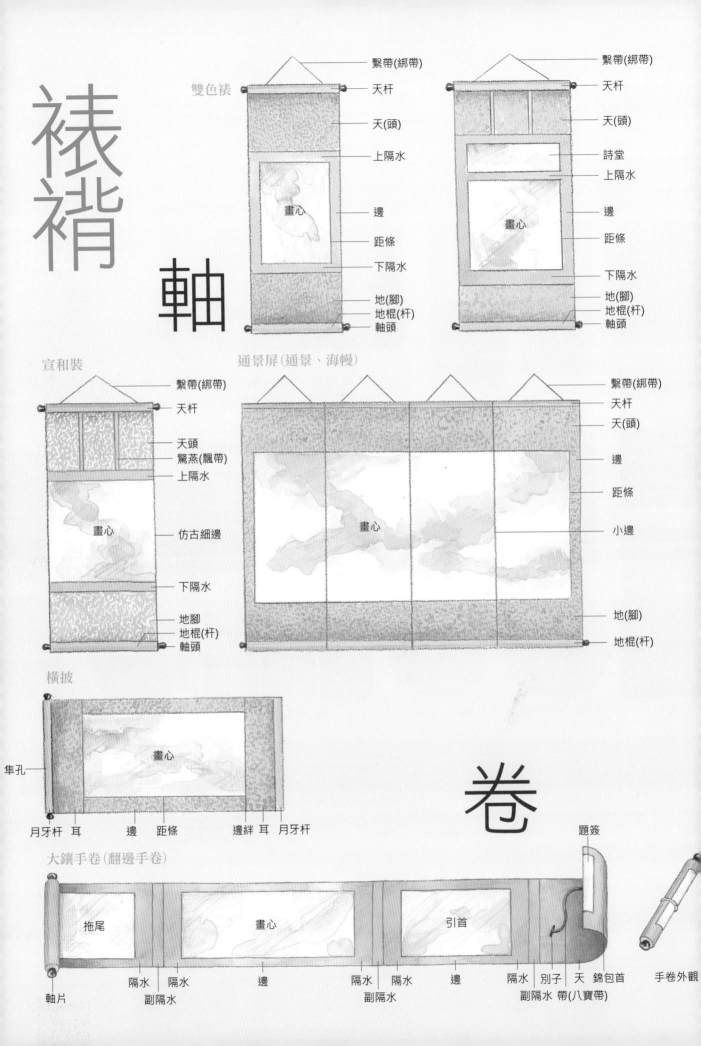

裱褙

軸

雙色裱
- 繫帶(綁帶)
- 天杆
- 天(頭)
- 上隔水
- 畫心
- 邊
- 距條
- 下隔水
- 地(腳)
- 地棍(杆)
- 軸頭

- 繫帶(綁帶)
- 天杆
- 天(頭)
- 詩堂
- 上隔水
- 畫心
- 邊
- 距條
- 下隔水
- 地(腳)
- 地棍(杆)
- 軸頭

宣和裝
- 繫帶(綁帶)
- 天杆
- 天頭
- 驚燕(飄帶)
- 上隔水
- 畫心
- 仿古細邊
- 下隔水
- 地腳
- 地棍(杆)
- 軸頭

通景屏(通景、海幔)
- 繫帶(綁帶)
- 天杆
- 天(頭)
- 邊
- 距條
- 畫心
- 小邊
- 地(腳)
- 地棍(杆)

橫披
- 隼孔
- 月牙杆　耳　　邊　距條　　邊絆　耳　月牙杆
- 畫心

卷

大鑲手卷(翻邊手卷)
- 題簽
- 拖尾　畫心　引首
- 軸片
- 隔水　隔水　邊　隔水　隔水　邊　隔水　別子　天　錦包首
- 　　副隔水　　　　副隔水　　　　　副隔水　帶(八寶帶)
- 手卷外觀

摺裝

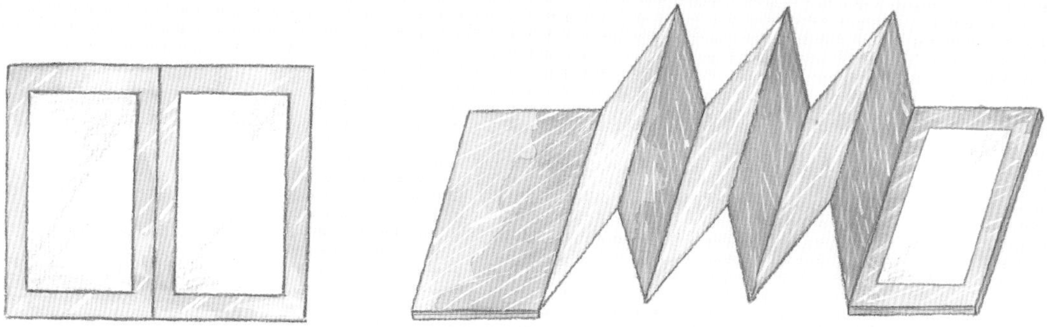

冊頁

經摺裝

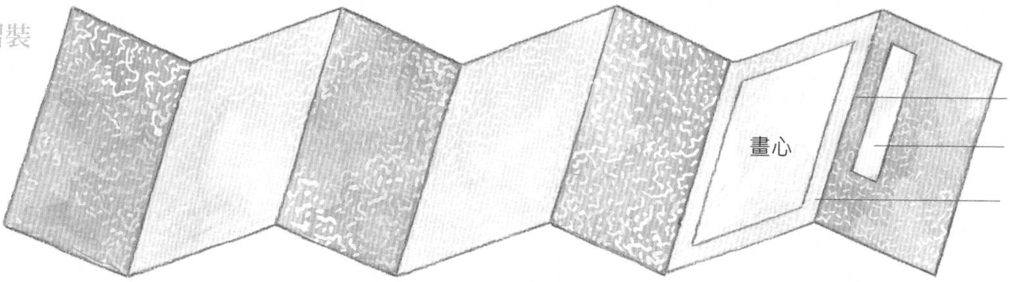

畫心

折線
題簽
邊

推篷裝

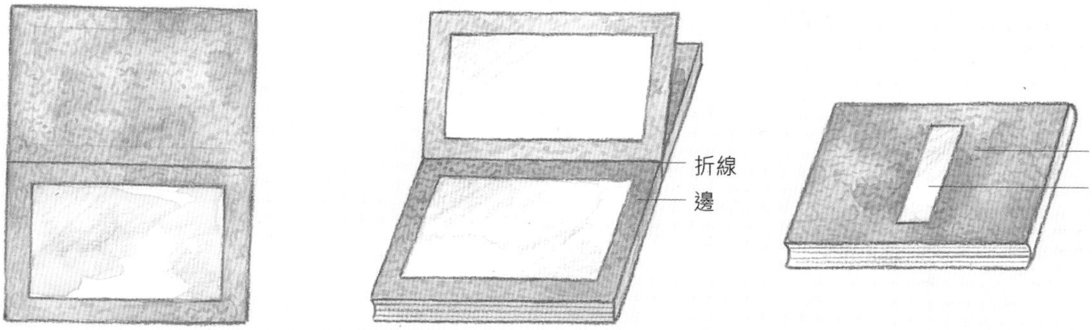

折線
邊

封面
題簽

蝴蝶裝

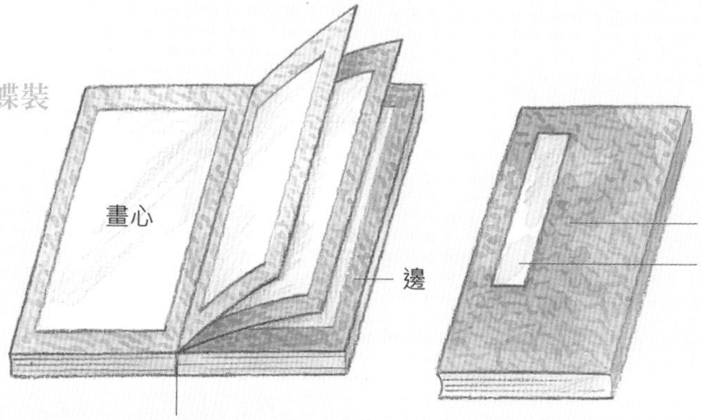

扇面

畫心

邊

封面
題簽

折線

摺扇

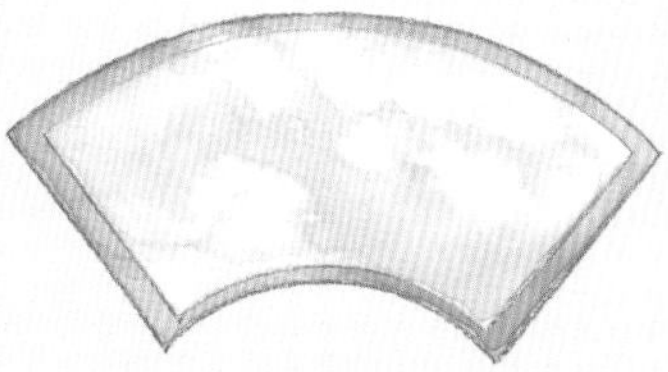

團扇

《桂菊山禽圖》

錢穀《惠山煮泉圖》

吳彬《涅槃圖》

吳彬《畫羅漢》

馬守貞《水仙圖》

曾鯨《張卿子

董其昌《葑涇訪古圖》

《桃源仙境圖》　沈周《廬山高圖》　吳彬《歲華紀勝圖冊》

陳繼儒《雲山幽趣圖》

崔子忠《雲中玉

陳洪綬《蓮池應化圖》　文伯仁《溪山秋霽圖》

董其昌《林和靖詩意圖》　藍瑛《仿古冊》

芙蓉游鵝圖》　唐寅《山路松聲圖》　陳洪綬《喬松仙壽圖》　陸治《花溪魚隱圖》　董其昌《聚賢聽琴圖》　沈士充《天香

元　馬琬《春山

元　趙孟頫《鵲華秋色圖》　明　文嘉《溪山真意圖》

元　錢選《浮玉山居圖》

承142頁

明
(1368AD)

曹知白《寒林圖》

邊景昭《三友百禽軸》

朱瞻基《戲猿圖》

唐寅《王蜀宮妓圖》

文徵明《寒林鍾馗》

王蒙《具區林屋圖》　徐賁《秋林草亭圖》

夏昶《奇石脩篁圖》

張路《溪山泛艇》

杜瓊《南湖草堂圖》

林良《蘆雁圖》　姚綬《秋江漁隱圖軸》

文徵明《湘君湘夫

元 管道昇《煙雨叢竹圖》

元 王振鵬《伯牙鼓琴圖》

明 宋克《萬竹圖》

王紱《山亭文會圖》

李在《闊渚晴峰》

戴進《風雨歸舟圖》

林良《蒼鷹圖》

商喜《明宣宗行樂圖》

沈周《辛夷墨菜圖》

南宋大理國 張勝溫《梵

南宋 夏圭《溪山清遠圖》

南宋 陳容《九龍圖》

元 張渥《九歌圖》

大千先生於一九七六年從美國加州回到台灣，在台北市士林區建造「摩耶精舍」安度晚年。一九八三年，他以八十四歲高齡辭世，骨灰即長埋於「摩耶精舍」後園；在他親題的「梅丘」立石之下。

大千先生是天生的藝術家，同時精於營造中國式庭園。三十三歲時他在蘇州名園「網師園」住了一年，對庭園造景、一草一木都曾細心觀察。五十四歲時，他移居巴西建了「八德園」，六十九歲後移居美國，又先後建了「可以居」、「環蓽庵」，都是許多世界級藝術家嚮往造訪的名園。

位於外雙溪畔的「摩耶精舍」，也是台灣藝文界人士最仰慕的庭園。我有幸跟著媽媽去「摩耶精舍」作客三次，對庭園裡的花草奇石、池塘游魚、禽鳥猿猴、烤肉架、泡菜罈子……，一樣一樣的留下深刻印象。最特殊的是，張伯伯因為視力問題，還在窗戶上設計安裝可以移動的放大鏡，以便他在屋子裡也可以隨興觀賞庭園美景。

張伯伯也是著名的美食家，而且熱情好客，他家的好菜也是許多人嚮往的，每一道都極講究且據說都有典故。可惜那時我尚年幼，還不太懂得欣賞美食的奧妙。記得張伯母有一次上了「鮑魚燉雞」，用的是當時還不多見的烏骨雞，我沒吃過那種顏色的雞肉，覺得怪怪的，吃了一口就放著，主客中一位阿姨對著我說：「小妹妹，別浪費！快把妳那寶貝給我吃吧！」

小小年紀的我坐在那餐桌上聽大人們談古論今的，有的根本聽不懂，回想起媽媽曾跟我敘述的大千先生年輕時的傳奇故事，不禁呆呆望著慈眉善目的主人和他胸前那把銀白的美髯。我胡思亂想著，當他哥哥不在家，哥哥養的老虎半夜要吃消夜，虎兒探頭到他床上時，他怕不怕？他被棒老二（四川土匪）綁架，發現他會寫字，就奉他為土匪窩的師爺，逼著他跟著去搶劫時，難道他不會想趁機逃走嗎？因為未婚妻不幸去世，他落髮為僧，卻於百日當天被哥哥一把從車站拎著要他回家還俗時，他情願不情願？……這些當然都只是我當時的幻想，哪敢說出口啊？

大千先生的每一段生命史，以大時代的鮮明歷史為背景，處處有著奇人奇事的戲劇性。他的人品兼具了風範、情義、修為；藝術上則天賦異稟，在師承之外還勤於讀書、苦學、臨摹、遊歷。他的畫作，有復古、有創新，包容廣博，觸類旁通，集傳統與創新之大成；尤以潑墨山水開啟了中國水墨畫之新紀元。難怪齊白石讚他：「一筆一畫，無不意在筆先，神與古會。」徐悲鴻更譽他為「五百年來一大千」。

大千先生晚年的遺願之一是把佔地五百多坪的「摩耶精舍」捐贈給政府；後來由故宮博物院規劃成立「張大千先生紀念館」。三十年來，不知有多少來自世界各地的藝術愛好者，抱著仰慕與學習的心情，走入這座融合了大千先生人格與美學的故居。在一步步參訪欣賞時，也在大千先生龐大的藝術創作體系中，見證了繼往開來的境界與實踐之完成。

張大千先生，是每一個中國人都該認識與親近的。

▲ 北宋 張擇端《清明上河圖》

《□岩圖》

高鳳翰《雪景竹石圖》

鄭燮《蘭竹石圖》

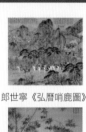

郎世寧《弘曆哨鹿圖》

閔貞《紈扇仕女圖》

任頤《酸寒尉像》

蒲華《菊花圖》

吳昌碩《紅梅圖》

吳昌碩《墨荷圖》

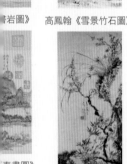

《春晝圖》

汪士慎《春風三友圖》

虛谷《松鶴延年圖》

郎世寧《竹蔭西㹨圖》

任薰《花鳥四屏》

任頤《羲之愛鵝圖》

黃賓虹《董巨遺意圖》

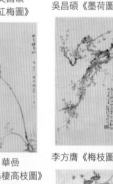

華嵒《好鳥棲高枝圖》

李方膺《梅枝圖》

齊白石《荷花》

祁《□山居圖》

丁觀鵬《弘曆洗象圖》

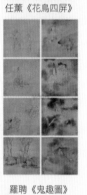

任熊《自畫像》

羅聘《鬼趣圖》

黃賓虹《山水四屏》

吳昌碩《桃實圖》

虛谷《枇杷圖》

齊白石《蝦》

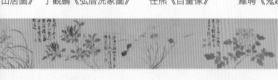

清 石濤《黃山圖卷》

清 趙之謙《古柏圖》

清 郎世寧《百駿圖》

清 髡殘《茂林秋樹圖》

明 周之冕《百花圖卷》

《南山積翠圖》

龔賢《木葉丹黃圖》

弘仁《松壑清泉圖》

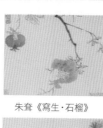

朱耷《寫生·石榴》

王翬《秋樹昏鴉圖》

石濤《山水軸》

石濤《對牛彈琴圖》

朱耷《寫生·菊花》

《長松仙館圖》

樊圻《江干風雨圖》

朱耷《牡丹松石圖》

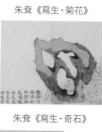

朱耷《寫生·奇石》

查士標《水竹茆齋圖》

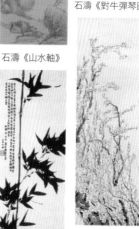

金農《梅花圖》

高其佩《梧桐喜鵲圖》

蔣廷錫《蜀葵宣花圖》

《梧桐雙兔圖》

惲壽平《牡丹圖》

惲壽平《紫薇扇面》

朱耷《柯石雙禽圖》

王原祁《春雲出岫圖》

金農《墨竹圖》

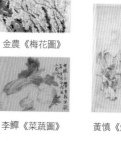

李鱓《菜蔬圖》

黃慎《煉丹圖》

元 任仁發《出圉圖》

明 陳淳《花卉卷》

《杏園雅集圖》

清 丁觀鵬《太平春市圖》

明 吳偉《長江萬里圖卷》

承傳的視角

小時候我們家放了一張中國山水畫作，爸爸公司也放了一張山水畫作，對我來說，那兩張根本沒有甚麼差異，山的位置，雲水的位置，甚至人的樣子大概都一樣，我跟爸爸說，這兩幅對調，大概都不會有人會發現的。爸爸則跟我解釋，我們中國人的藝術，都以師承為首要，也以此為欣賞的參考點。

爸爸說，好比妳媽媽的藝術，師承大家如梅蘭芳，程硯秋，荀慧生，張君秋，黃桂秋，朱琴心……，造就媽媽的《鳳還巢》、《生死恨》等戲，有著醇厚流麗的唱腔，一路華麗。但《鎖麟囊》、《碧玉簪》等戲，則有著程硯秋嗓音細弱多變，但仍需兼顧幽、閑、貞、靜之美。《荀灌娘》則要有荀慧生的嬌媚、俏麗、輕盈、且要諧趣。《漢明妃》則師承張君秋與尚小雲，要以陽剛見長，剛柔相濟，強調力度，再加上其他幾位前輩的指點，善用自己天賦異稟的聲帶，細膩的做工，賦予自我詮釋角色的能力。雖然媽媽造就了獨特的「顧派」，但不同的戲，仍走在老師教導的唱腔韻味之內，不會出格。戲迷們從媽媽的甜婉綿堅中，也都能分辨其來有自的師承，跟中國繪畫一樣，各有其脈絡，要欣賞不難，但要評議就不是一件容易的事情，爸爸強調，這就是一個歷史悠久的民族，其藝術入門的高度與難度。

遠古中國畫的那些古畫家，一輩子可能只有師承一位老師，學習的是這一派所講究的技巧之外，臨摹老師的胸襟氣度，做為自己內化與內在修為的過程，自己的創意或自我的發揮，則是放在這些之後的。聽說古畫鑑定真偽的技巧之一，靠的是臨摹，從臨摹中，據說是可以感受畫作所呈現出來內在的人格。西方藝術，除了技巧外，則以創新與顛覆論其價值，東西畫派，這兩者是沒有辦法放在一起評論高低或相互跨越的。我相信，要看遠古藝術，就如同爸爸所謂的，一定要認清承傳是欣賞上一個重要的視角。

與戲劇一樣有派別，中國的繪畫畫派，有其脈絡可循。這次刊登的作品，儘可能以全面性的角度來涵括古代的繪畫，因為版面有限，畫作只採取作品的畫心，前後隔水題跋或拖尾題跋等，則沒有辦法放入。

繪畫的題材，大致分成山水（金碧、青綠、淺絳、水墨）、人物（仕女、道釋人物、肖像、歷史故事）、花鳥動物（花木、鳥禽、走獸、昆蟲爬蟲、水生）、界畫（建築、車船）、風俗（日常生活、市井民情），看得出我們遠古生活的面貌。我自己越來越喜歡的是山水畫，大概因為自己住在山裡，喜歡那山水間的留白，看著山景，能體會畫家筆下的雲水飛動，氣韻清高，超塵絕俗的意境。

很多中國山水圖繪的佈局，巧妙的展現於一張局促的畫布空間，氣勢之大，在別的藝術型式中不容易出現。難怪歷史上宋代的詞人秦觀，因為細細的從頭看著《輞川圖》畫作，王維筆下著名的水繞山環，竹茂林密，亭台樓榭的奇勝的風景，讓人好似走在其中，甚至像聽得到水的聲音一般，這淡泊超塵的陶冶，可以理療精氣神的病，難怪把秦觀的病都看好了，這是歷史上著名的典故。

中國畫作的色彩，從馬王堆一號墓帛到敦煌壁畫所呈現的色彩，千年不變，其材質來源採自植物或是礦石，能夠出現如此絢爛的色彩。據載如西漢馬王堆一號墓帛畫利用硃砂、土紅、花青、藤黃和銀粉、蛤粉等；東漢和林格爾墓室壁畫則為礦物質如赭石、石綠、雄黃；西晉嘉峪關壁畫記載有赭石、鐵棕；墨；石青；磷氯鉛礦；白堊、雲母和石膏。敦煌壁畫記載以礦物性的石青、石綠、赭石、鉛丹（銀朱）等。這些色彩隨著時光與氧化的過程，呈現於世人眼前，為了保存，也不能讓其過度曝露於空氣中，所幸現代攝影技術可以儘可能的捕捉其色彩，有詳實的記錄，讓世人驚豔。

這些自然色彩的採集，在植物類中，黃色可自藤黃、梔黃、薑黃中提取；藍色來自花青（蓼藍發酵）；胭脂色來自蘇木、茜草、指甲花或紅藍花；洋紅並非來自植物，而自胭脂蟲中提取；黑灰色來自松煙、鍋底灰、燈芯灰、石榴皮灰。在礦物中，黃色來自雄黃與雌黃；藍色來自石青或石綠；紅色來自硃砂、硃膘、銀朱、赭石與珊瑚；黑灰色來自黑石脂；此外礦物還可提煉出白色，由真珠、砷碌、文蛤、雲母、鉛粉；還有金屬色系由金銀粉或金箔銀箔取得。這也呈現我們的畫作在色彩上的獨特性。

中國畫作的裱褙方式，也有其既定的規範，在本章節中也一併做簡單的介紹。

中國自古以來的典籍，有記載很多有關女人保養的方式，也有很多研究，繪製出很多的文獻資料，那些圖繪中有很多女人的髮型，化妝的技巧，面部的保養，香身的辦法，美髮染髮的辦法，食療美容的辦法與大量圖像有關飾品的呈現，都是很經典且都有考據的年代。史料的記載來自《齊民要術》、《本草綱目》、《天工開物》、《事林廣記》、《外台秘要》、《四時纂要》、《千金要方》等書籍中，最可貴的是，很多沒有化學成分的保養用方，到今天都適用，其中也介紹了化妝用品等的基本製作流程，讓人嘆為觀止。

彩妝術、黛眉、櫻唇也找到了很多演進的史料，從這些化妝術的歷史分析上也看得出來，唐朝似乎是最為開放的一個朝代。我也相信那一定是一個大融合的時代。

保養的方法，我則將慈禧太后的保養方子，整理出來，讓我們看看在那個年代，操弄掌權，而又能活到七八十歲的女人，傳說中的滿頭烏髮、牙齒不落與皮膚細緻的原因。這些有機的美髮美顏香身瘦身配方為令髮不落方、活血化瘀洗頭、抿頭方、菊花散、玉容散、香髮散、潔白牙齒不鬆動、消脂玲瓏浴。

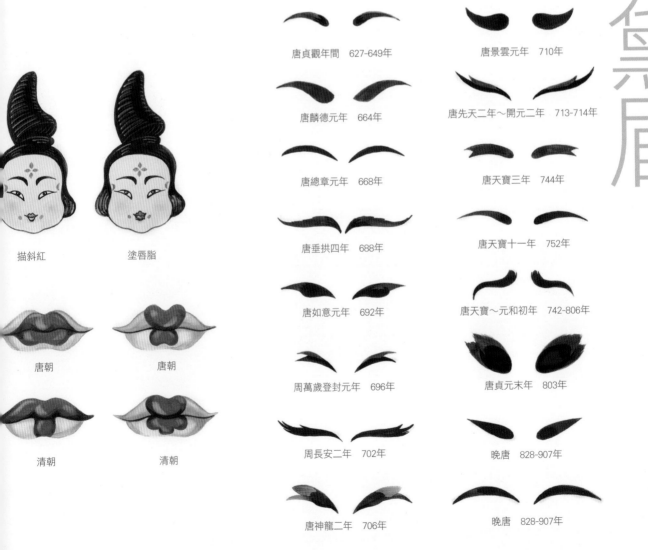

描斜紅　　　　塗唇脂

唐朝　　　　唐朝

清朝　　　　清朝

唐貞觀年間　627-649年

唐麟德元年　664年

唐總章元年　668年

唐垂拱四年　688年

唐如意元年　692年

周萬歲登封元年　696年

周長安二年　702年

唐神龍二年　706年

唐景雲元年　710年

唐先天二年～開元二年　713-714年

唐天寶三年　744年

唐天寶十一年　752年

唐天寶～元和初年　742-806年

唐貞元末年　803年

晚唐　828-907年

晚唐　828-907年

黛眉

中國四大美女西施、王昭君、貂蟬、楊玉環，歷史上是用沉魚、落雁、閉月、羞花來形容她們的美麗。沉魚由來西施在河邊浣紗時，清澈的河水裡的魚兒看到她的美忘記游水，而沉到水裡；王昭君出塞的時候，因為思鄉而撥動琵琶，彈奏起傷心的離別曲，天上的大雁聽到這琴聲，看到這美麗的女子，則忘記拍動翅膀，跌落到地上；貂蟬之美則因為她晚上看月亮時，月裡的嫦娥自愧不如，匆匆躲入雲中；而凡是被楊玉環撫摸過的花，都會因為看到她的美而低下頭來，於是人們就用「羞花」來比喻楊玉環的美，她們的美，是長久的留存在我們的心中的。

愛美是女人的天性，所有的女人無不借用妝容與髮飾來為自己的美麗加分。

小時候我很喜歡看古裝片或是武俠片，最喜歡的莫過於她們的造型，也喜歡她們頭上戴的飾品，身上戴的配件等。經過我無限的幻想，設計出二十四個娃娃，她們都有不同的髮型與髮飾品。再搭配我對於歷史資料上，飾品上出現的圖案研究，大膽的設計了六十個飾品設計，有鎖片、髮簪、耳環、手鐲等。這些在古代都是用金片，銀片或是銅片打出來的，當年沒有現在做模子的設備，每一個飾品都是手工極好的師傅打造出來的，真不敢相信他們的手藝，為什麼現在的工藝，都看不到那麼巧的手藝呢？這大膽的設計，只能於紙上過癮，但也足見美學的至極。

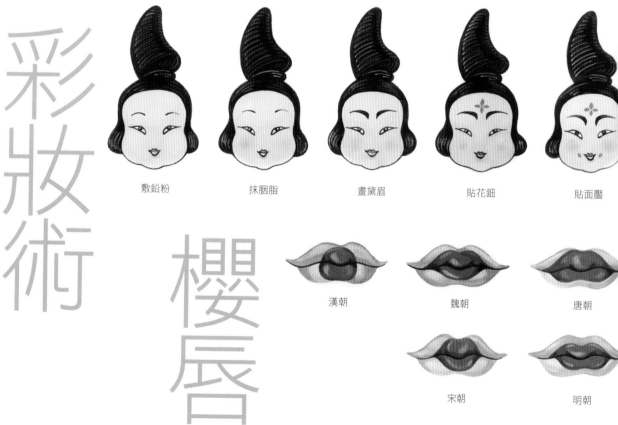

彩妝術

敷鉛粉　　　抹胭脂　　　畫黛眉　　　貼花鈿　　　貼面靨

櫻唇

漢朝　　　魏朝　　　唐朝

宋朝　　　明朝

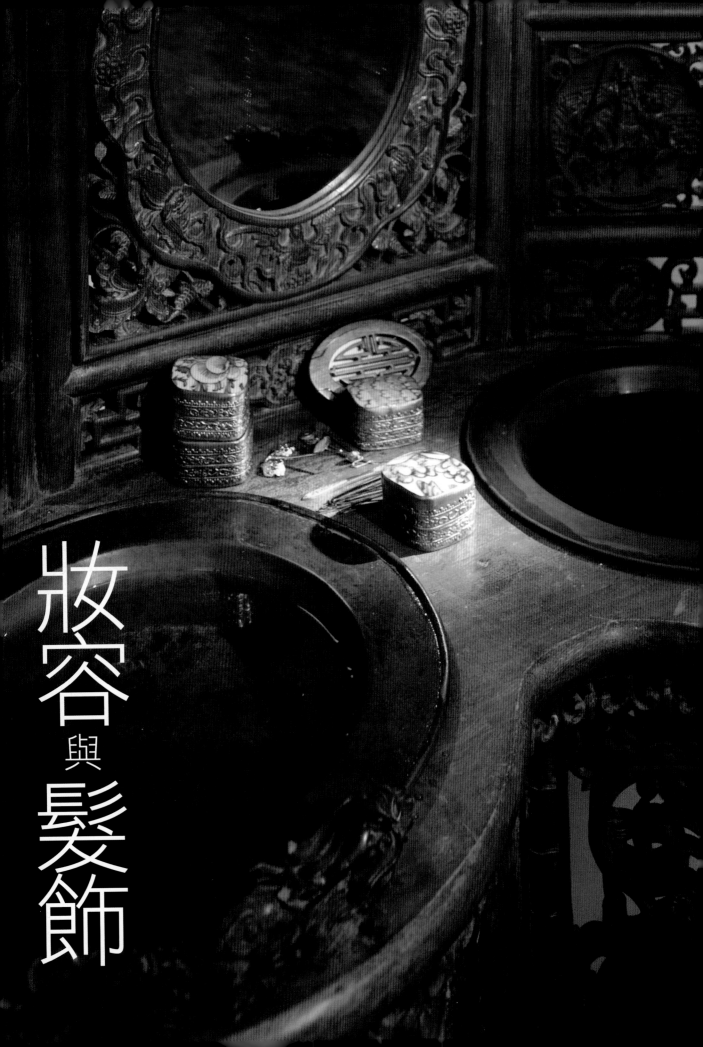

妝容與髮飾

髮飾

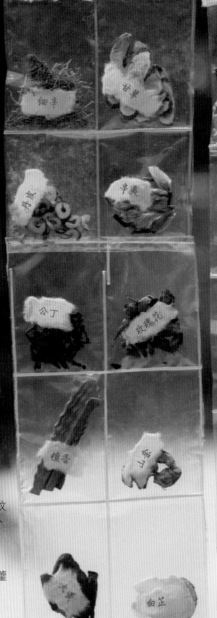

消脂玲瓏浴
蝦夷蔥、泡竹葉、麻黃、荷葉各六錢

香發散
零陵草一兩、辛夷五錢、玫瑰花五錢、檀香六錢、川錦紋
四錢、甘草四錢、粉丹皮四錢、山柰三錢、公丁香三錢、
細辛三錢、蘇合油三錢、白芷三兩

抿頭方
香白芷三錢、荊穗三錢、白僵蠶二錢、薄荷一錢五分、藿
香葉二錢、牙皂二錢、零陵香三錢、菊花二錢

菊花散
甘菊花、蔓荊子、幹柏葉、川芎、桑根、白皮、白芷、細
辛、旱蓮草各一兩

潔白牙齒不鬆動
生大黃、熟大黃、生石膏、熟石膏、骨碎補、銀杜仲、青
鹽、食鹽各十錢，明礬、枯礬、當歸身各五錢

玉容散
白芷一兩五錢、白牽牛五錢、防風三錢、白丁香一兩、甘
松三錢、白細辛三錢、山柰一兩、白蓮蕊一兩、檀香五
錢、白僵蠶一兩、白及三錢、鷹條白一兩、白蘞三錢、鴿
條白一兩、團粉二兩、白附子一兩

令發不落方
榧子三個、核桃二個、側柏葉一兩

活血化瘀洗頭
甘菊花一錢五分、薄荷一錢五分、防風二錢、銀花二錢、
香白芷二錢、川椒七分、石膏三錢、生羌活一錢

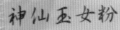

菊花散

潔白牙齒不鬆動

玉容散

甘草

細辛

防風

白附子

白芨

白扁豆

桂心

沒藥

白茯苓

甘菊花

食鹽

熟大黃

青鹽

白蘞

白芷

前胡

生大黃

生石膏

綠豆粉

白蓮蕊

落方

活血化瘀洗頭

銀杜仲

明礬

柏葉

薄荷

防風

當歸身

川椒

銀花

骨碎補

白細辛

珍珠粉

白芷芷

甘菊花

白芷

白花

兔絲

石膏

中國女人的

飾品

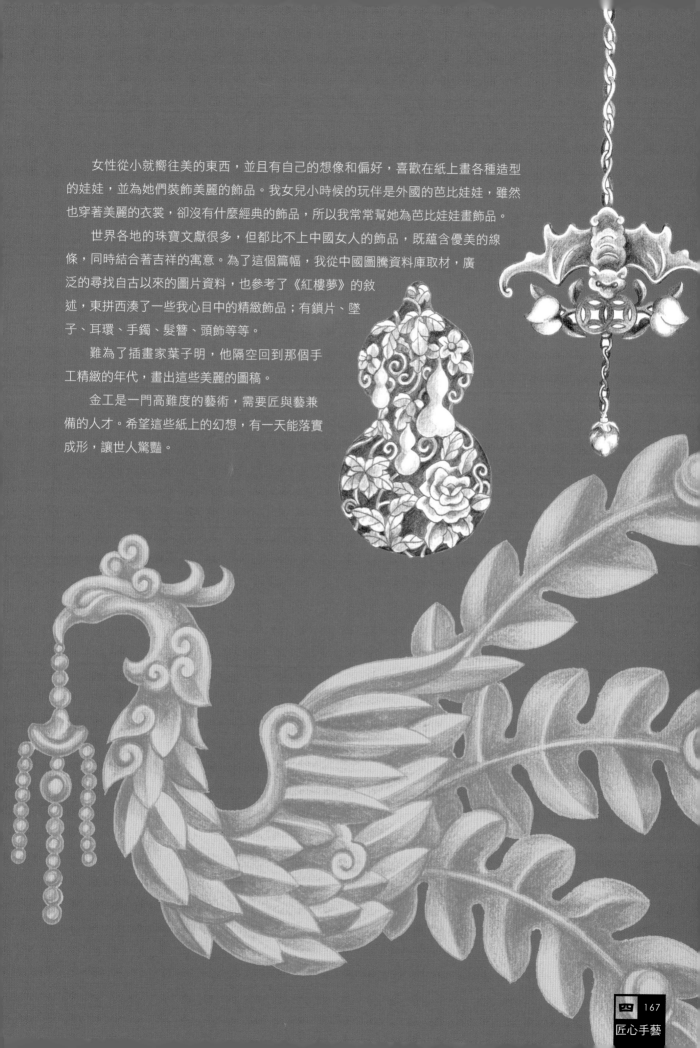

女性從小就嚮往美的東西，並且有自己的想像和偏好，喜歡在紙上畫各種造型的娃娃，並為她們裝飾美麗的飾品。我女兒小時候的玩伴是外國的芭比娃娃，雖然也穿著美麗的衣裳，卻沒有什麼經典的飾品，所以我常常幫她為芭比娃娃畫飾品。

世界各地的珠寶文獻很多，但都比不上中國女人的飾品，既蘊含優美的線條，同時結合著吉祥的寓意。為了這個篇幅，我從中國圖騰資料庫取材，廣泛的尋找自古以來的圖片資料，也參考了《紅樓夢》的敘述，東拼西湊了一些我心目中的精緻飾品；有鎖片、墜子、耳環、手鐲、髮簪、頭飾等等。

難為了插畫家葉子明，他隔空回到那個手工精緻的年代，畫出這些美麗的圖稿。

金工是一門高難度的藝術，需要匠與藝兼備的人才。希望這些紙上的幻想，有一天能落實成形，讓世人驚豔。

三十而立　四十而不惑　五十而知天命　六十而耳順　七十從心所欲

中國人說「三十而立、四十而不惑、五十而知天命、六十而耳順、七十而從心所欲」，當這些整數生日的時候，通常送禮會比較隆重。很多朋友想要送禮物給一位壽星時，可以打個有紀念性的金字或銀字，縫在家飾上面，視覺與保值兼具。對於新人，「恩愛」兩個字也可以縫在枕頭上，也是個長長久久的禮物。這禮物的字體是一個大學問，鑽洞的位置我也稍有研究，提供讀者們使用。口布是很好的禮物，雖然這不在我們的餐飲文化中，但卻很實用。把六塊或八塊口布整齊排列，找個中心點一抓，反過來就出現層層花瓣，找個容器固定後，拉扯一下間距，會出現一朵好大的花，簡單快速。

送新人較昂貴的飾物，利用中國結或緞帶，放到鋪有絲絨的相框裡，除了配戴之外，還可有展示的功能。

各式鍋子，是需求性的用品，利用鐵絲穿過鍋邊的把手來佈置，拉起一個可以纏上花草的線條，停止於鍋子中上方，有此著力的支柱，就可以變換各式各樣的花樣，綁氣球、緞帶都容易，我喜歡選擇一道食譜，把乾的食材放入鍋子中，比如這鍋子是西班牙海鮮飯專用鍋，我就鋪滿了米，用鐵絲做了內外愛心當架子，把乾燥花鋪上，最後把食譜寫在卡上。我送給一對新人，結果因為這份禮物有著展示的功能，被放置在婚禮最顯眼的入口呢！

把自己種的蔬菜紮成一棵小樹，搭配上一堆整齊的繩子綁成的飾物，再垂吊些蕃茄小果與稻穗，最後用透明塑膠紙包上，增加光澤度，送人的是陽光、露水、時間與愛心。這份禮可要快快送達，因為蔬菜不是花草，站不久的。

姪女翅膀硬了要出國，她以前送給我一些珠子，我再配上一些，成一個「時尚唸珠」。放上兩隻蝴蝶，意味著她有個繽紛的新生活。開了兩個模，是圓滿的對開小小相框，裡面寫上「平」、「安」二字，囑咐她隨時要向父母報平安。盒子底用柔軟的藍絨表示要離開溫暖的窩，把翅膀硬了的鳥貼上去，這禮物在說話呢！把唸珠加流蘇穗子變成兩用飾品，是我常用的手法，讓莊嚴中帶有活潑的質感。

送人升官的禮物則可用幸運餅取其意義，用金屬材質做個永久的紀念留存，也可做很多可以吃的幸運餅，餅內夾上一張字條「升官發財好運亨通」，讓收者可以跟同事們分享喜悅。

人生邁入五十歲，對女人來說是別具意義的一年。一群朋友可以幫壽星出一版「專刊」，我曾做過一本「RITA 50」，效果很好，提供給大家參考，可利用各類單元，來總結壽星的生活周邊的人、事、物。可邀約周邊的人寫封信，做成一個信息單元，可分成「家人的信」、「朋友的信」、「夥伴的信」；此外以「主人翁 style」、「Wish List」等單元強調壽星的特殊性；再以「女人五十」、「性格分析」、「健康」、「賓果」等單元，勉勵壽星，最後可以「甜蜜的家庭」、「A+成績單」、「紀念照片」讓壽星感受到身邊朋友的愛。

這類型的創意，可取材現成的女性書籍或雜誌，以剪貼掃描的方式製版。男士過大壽，我做過一本結合所有中國人有關酒的詩詞，收集朋友們的祝福，成一本「酒與朋友」，強調酒後真言情意重的效果。這類型的單冊出版品，內容很像唸書時代做的畢業紀念冊一樣，最難的是裝訂，既然非專業裝訂，倒不如放棄一般習慣，利用手工，大膽選材。

珍誼小廚

大作文章

莉玲於十八年前結婚時，三十個好朋友幫她辦一場BRIDAL SHOWER，由我負責張羅一份所有朋友的贈禮。我請三十個朋友送給莉玲一道家傳食譜與一段祝福的話語，最後集結為這本《珍誼小廚，大作文章》的食譜。新娘子那本是精裝版，所有執筆的朋友則是平裝版。

配合每一位朋友的祝福語，我選了三十個吉祥圖案配置於左頁，她所提供的家傳食譜則配置於右頁。以一人一個雙開的畫面來展現她們對莉玲與伯實的祝福。這些吉祥的圖騰，都是很經典的式樣，有極為優美的線條，並搭配一句吉祥的成語。我很喜歡這些帶有祝福含意的成語，讓這份禮物顯得更美好更深情。

我寫給他們的是一首詩：

　　　不受塵埃半點侵，竹籬茅舍自甘心
　　　哪知遇得保羅林，照梁出水舊知名
　　　風物晴和人意好，連理枝頭花正開
　　　多少工夫才織成，再世鴛鴦護水紋

配以鴛鴦圖騰，則寫出典故：

　　　鴛鴦貴子，鴛鴦乃匹鳥，雄鴛雌鴦，朝夕相處，
　　　　　併比而飛。配以蓮荷，寓意早生貴子。

為了符合食譜的性質，這本書的紙張選用與食物有關的米或麥的纖維，打成紙漿後做成手工紙。然而這種紙的表面紋路不平整，沒辦法用機器印刷，所以最難的工作是我逐張做成絹印的版模，以手工絹印而成。裝訂也很別緻，是用一根筷子做為綁住所有紙張的夾具，採以古書的頁碼設計，呈現質樸的中國風味。

不過送給新娘子的精裝本包裝更為特別，是裁剪我訂婚時的一件繡花衣裳做為封面與封底，並利用口袋邊緣的布料，車縫了一個可以放入這本食譜的小枕頭，另外還用衣裳背面的布料，黏貼了一個盛放的盒子。

這件對我來說具有紀念意義的衣裳，也因此別具意義的達成了美麗祝福的使命。

BRIDAL SHOWER這一天，每個朋友帶著她們食譜上的這道菜來參加，各顯絕活的展示自家廚房的美味，然後一起送上這本深具女性傳承意義的禮物。盛會結束後，每一位朋友也都收到一本同樣代表了珍貴祝福與友情的《珍誼小廚，大作文章》。

整本書的設計，我祈望傳達的訊息是：友情、家傳、吉祥、祝福、與唯一。在全書的最後，還附了一篇我寫的〈赤子心，朋友情〉，向朋友們說明整本書的製作過程。

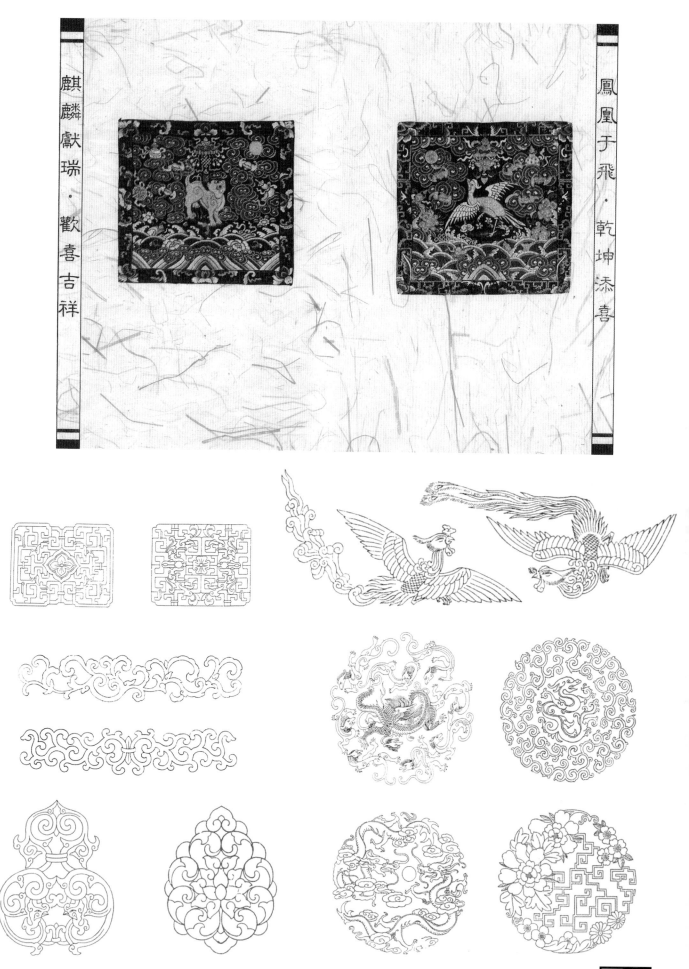

麒麟獻瑞・歡喜吉祥

鳳凰于飛・乾坤添喜

結婚
蛋糕禮

乃竺與Stan的女兒要結婚了，這年他倆正忙著籌劃二〇〇九台北聽障奧運的開幕事宜，一直沒空選到中意的喜餅來送朋友，緊急請我幫忙製作。我將以前為中秋節設計的鳳梨酥蛋糕的版型和模子找出來，請Stan盡快把文稿寫出來。這位非常講究美學，既高興又有點捨不得女兒出嫁的大導演，在極為忙碌的當時，仍然堅持用他最愛的MAC字型，寫了極具意義的一段話，向全世界的友人宣布這則喜訊：

Joy in life，Can only be truly tasted，When shared with all，Please share the joy of Stephanie and Pawo, 2009

　　等他慎重的把這份稿子交來時，距離婚禮的時間已經很緊湊了，我一方面趕印刷，烘焙不同尺寸的鳳梨酥，一方面央求全公司行政組日夜加班：為了增加盒子的硬度，先把兩張紙糊起來，再用電風扇與暖爐吹烘，乾了即開始紮型，黏貼蓋子，製作外盒，綁緞帶等等，每一個動作都是手工完成。整份禮物完成時，剛好是乃竺要上飛機去印度參加婚禮的那一天。

　　送給新人，蛋糕則可以做一份皇家版本的，我給這個盒子穿上了新郎與新娘的華麗衣裳，在紙質上塗上粉亮的色彩，配以浪漫的緞帶，以馬甲的手法綁上兩三層粗細不一的緞帶，讓它更有結婚的喜氣，最後並排在一起，感覺好像聽到了結婚進行曲呢。

　　這份禮物搭配一些送給新人結婚的小首飾。這些我做的小首飾也都是別具意義的，比如小算盤、愛心、瓶中信、小地球、男女水晶熊熊；或是戒指、十字架、相框、項鍊頭等等。

　　從整體的設計，內容呈現的活潑度，視覺包裝的氣氛，這份結婚蛋糕禮都傳達了很別緻也很溫馨的祝福，最重要的是這蛋糕無賞味期限，永遠有著蛋糕的慶賀感。

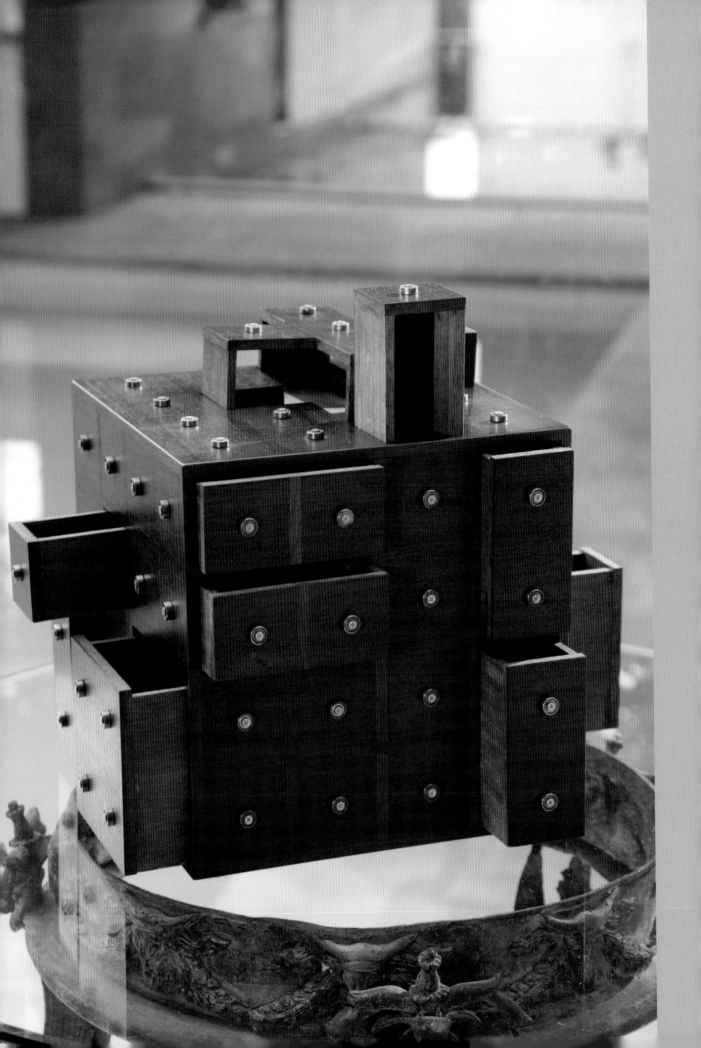

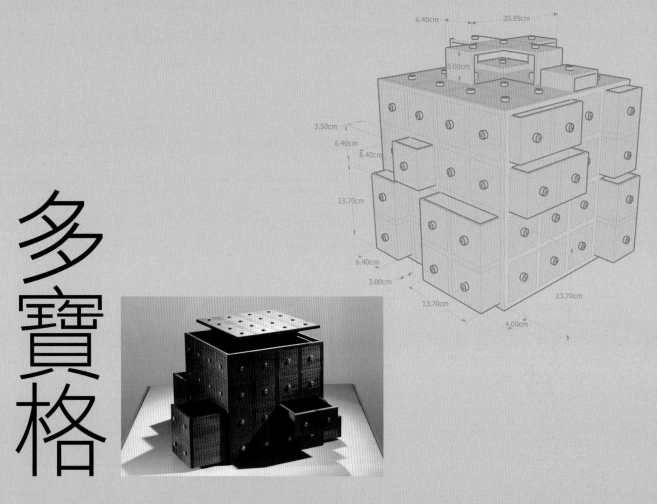

多寶格

　　故宮的多寶格，一直是我的最愛，也一直是我最想做的玩具。我把這盒子設計在很多不同的用途，同樣的外表尺寸，我嘗試過放茶具、放下午茶點心架，與放禮物等不同的組合。它有裝載不同尺寸內抽屜的實用功能，外表則得去處理大面積笨重的感覺。

　　有個朋友生了兒子，她的十四個女性朋友想合送禮物，找我幫忙設計。我想到的就是多寶格。

　　十四個人的禮物，一定要小才放得下，小金飾是送新生兒最為實惠的禮物，此外還有奶瓶、奶嘴、娃娃圍兜、小衣服、小褲子、小鞋子、小襪子、小帽子、小玩具等等。新生兒最花時間的是取名字，所以我把一堆屬於男生的字印出來，中文一格、英文一格。這樣加起來一共是十四樣，剛好對應到這十四個多寶格的抽屜。很適合用於很多朋友合送的贈禮，因為每一個抽屜可以有單一性，但整體又是一個視覺上討巧的家飾。

　　仁喜幫忙設計這一個多寶格，一筆就幫我畫出了這器物的黃金比例。它除了可以放小娃兒的東西，珠寶首飾、化妝品，藥品等尺寸小的物件，也都能輕易搭配。茶具茶組小杯小碗的，很像在辦家家酒，放置其中也很得當。

　　不過為了配這個多寶格的把手，倒是費了一番心力。我想找一個既是把手又是裝飾品的現成物件，但是找了很久找不到。後來好不容易在台北後車站附近賣釘子的店與賣螺絲帽的店，配到這個便宜卻達到效果的把手。

　　那位新生兒的母親，把這個多寶格端坐於客廳，每天看一眼就想到十四個好朋友。若以廣告回饋效應來看，這個禮品的回饋是久遠的。所以，要設計一個人家可以放在重要位置的禮品，花多少心思都是值得的。

藍
印花布

上身是短短的藍印花布小襖，下身是寬大的褲子，這明麗雅致而純樸溫柔的衣著，代表著中國民間樸拙而輕鬆的氣息。藍印花原是來自鄉村的土布，以秋天收成的靛藍草沉澱出來的土靛印染而成。它的製作過程很繁複，需經過十幾次的重覆印染，再一次次洗掉浮色，才能漸漸看清最初設計的圖騰；也許是暗喻的花紋，吉祥的諧音或類比，每一種都說明了人們憧憬的情境。我在馬路上如果看到穿純棉藍印花布的人，都會悄悄跟在身後，想看清這古老手工布上的圖騰，以及留白的語彙。藍印花布的品格，藍色部分美在樸，白色部分美在純，圖騰隨著腳步移動時，好像會飛進我的心裡，真是魅力難擋。

藍印花布的印染，分夾纈、灰纈、絞纈、葛纈四種，但不外乎以棉布配以植物染料，加上刻版、刮漿等動作；絞纈即紮染，葛纈即蠟染，是現代比較熟悉的。在重覆圖騰的工法上，有不少傳承自民間的古老技法。

中國藍印花布發源於秦朝，盛行於宋朝。後來南宋遷都臨安（即今杭州），藍印花布的發展遂彙集於江南一帶。中國大陸的導演，凡是要拍背景有染房的，大多是到杭州附近以盛產藍印花布聞名的烏鎮取景。高挑的染房拉長了視野的佈局，一匹匹長長的藍印花布，在陽光下輕輕飄揚著藍色、白色與圖騰們共舞的畫面，讓人看了產生無限浪漫的憧憬。

藍印花的圖騰，也融合民間的素人繪畫、版畫、剪紙等藝術形式，不只用於裁製衣服，也可做床具、門簾、頭巾、手袋等。我用它們做了很多生活用品，每一樣都展露了獨特的魅力與意境。

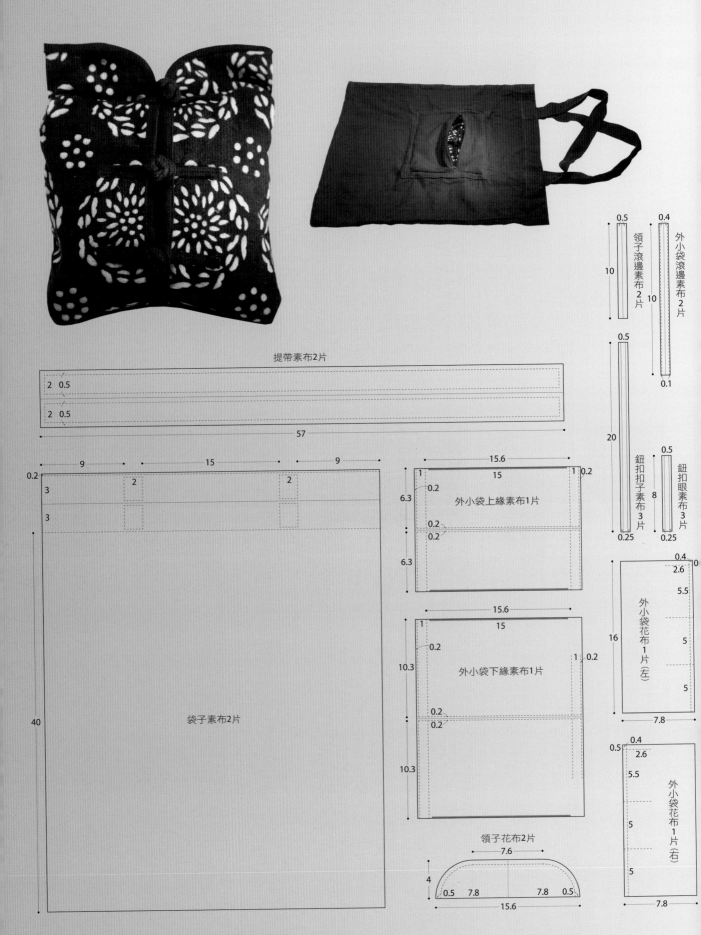

提帶素布2片

2 0.5

2 0.5

57

領子滾邊素布2片
0.5
10

外小袋滾邊素布2片
0.4
10

0.5
20
0.1

鈕扣扣子素布3片
0.5
8
0.25

鈕扣眼素布3片
0.5
0.25

9   15   9
0.2
3   2   2
3

40

袋子素布2片

15.6
1   15   1   0.2
6.3
0.2
外小袋上緣素布1片
0.2
0.2
6.3

15.6
1   15
0.2
10.3
外小袋下緣素布1片
1   0.2
0.2
0.2
10.3

領子花布2片
7.6
4
0.5 7.8   7.8 0.5
15.6

外小袋花布1片(左)
0.4
2.6
5.5
0
16
5
5
7.8

外小袋花布1片(右)
0.5
0.4
2.6
5.5
5
5
7.8

Scale 1:4

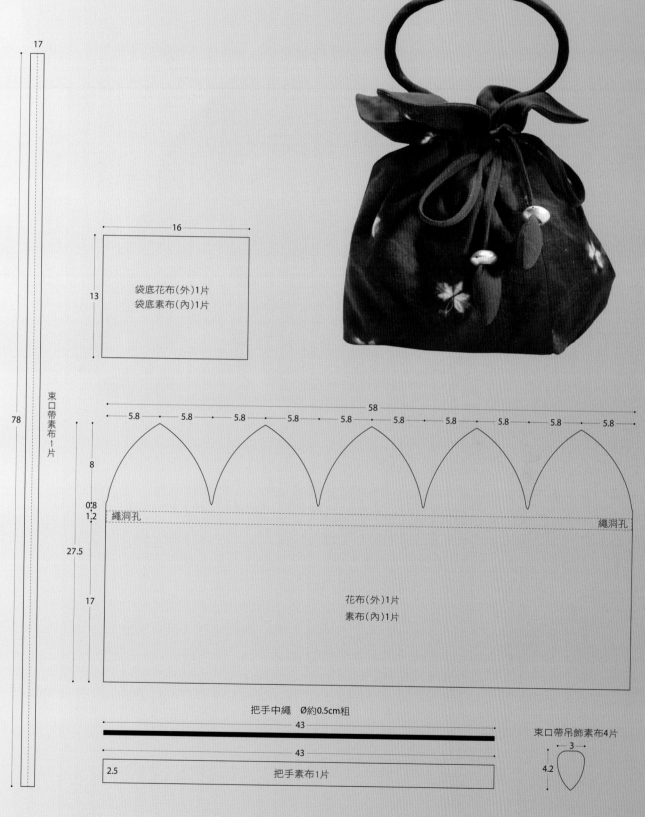

17

16

13　袋底花布(外)1片
　　袋底素布(內)1片

78

束口帶素布1片

58

5.8　5.8　5.8　5.8　5.8　5.8　5.8　5.8　5.8　5.8

8

0.8
1.2　繩洞孔　　　　　　　　　　　　　　　　　　　　　　　　　繩洞孔

27.5

17

花布(外)1片
素布(內)1片

把手中繩　Ø約0.5cm粗

43

43

2.5　　　　　　　把手素布1片

束口帶吊飾素布4片

3

4.2

Scale 1:4

喜鵲

禮物

　　這隻喜鵲是一個可以盛放東西的籃子，靈感來自我在美國柏克萊的一家藝術紙店，所採購到的Amy Baldwin女士所做的一隻鳥。這禮物看似簡單，為了確定版型卻費了很多時間。起先是覺得版小了一點，放大後又覺得好像太粗，沒有麻雀雖小五臟俱全的比例。原本我以為用兩張台灣的皺紋紙黏合也可以，做起來卻失去翅膀輕巧的感覺，尤其是翅膀邊上的皺摺部分。為此，我不得不買德國製的紙來完成這件作品；它的紙是非常別緻的雙面皺紋紙。

　　我很喜歡好看的紙。對愛做手藝的人來說，紙是很重要的材料；只要它的顏色厚度手感都好，作品也就成功了一半。所以每次買到新穎的紙，我總是急著回家把它放在眼前仔細的欣賞，那是一種希望讓紙融入於我，或是我融入於紙的興奮。有些好的紙，真的會讓人捨不得剪下一刀，因為它本身已經夠圓滿。還有某些就差一點就可以滿分的紙張，讓人產生無限的遐想，那種感覺，也是讓人非常陶醉的。

　　我們公司的許貞瑋副理，工作量很大，但全公司只有她最會包小粽子；要包到三角形均勻，是要有點功力的，這功夫可不是教一教就會的。每次我們要送茶葉粽子禮物，就看到她一邊熟練的用手包著粽子，一邊用嘴打電話或交代事情，一刻也不得閑。我開玩笑對她說，妳的腳要不要也做點什麼？別讓它閒著呀！

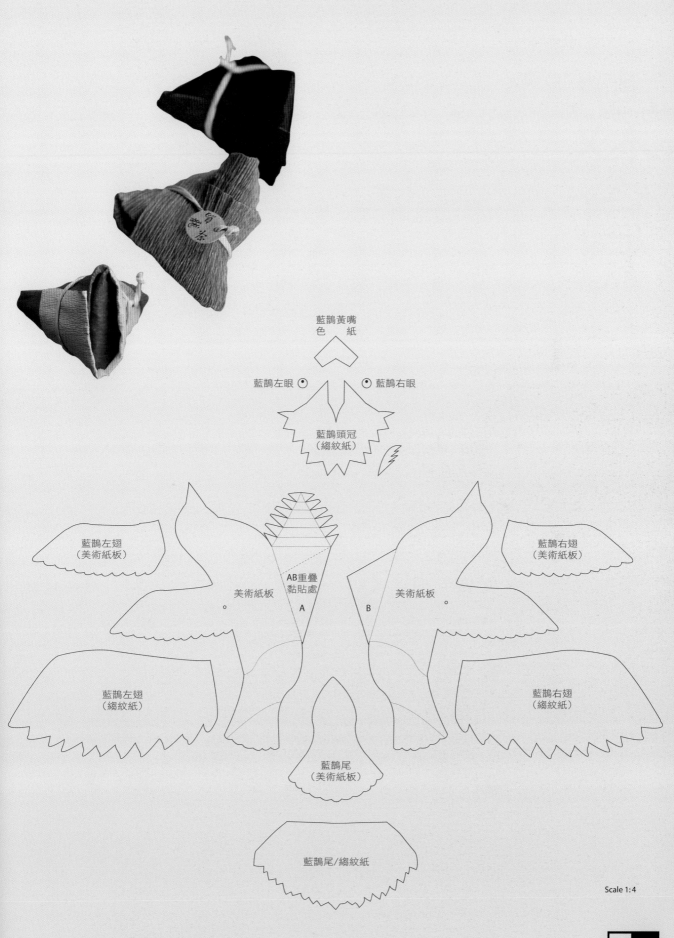

藍鵲黃嘴
色　紙

藍鵲左眼 ◉　　　　◉ 藍鵲右眼

藍鵲頭冠
（縐紋紙）

藍鵲左翅
（美術紙板）

藍鵲右翅
（美術紙板）

美術紙板

AB重疊
黏貼處

A　　B

美術紙板

藍鵲左翅
（縐紋紙）

藍鵲右翅
（縐紋紙）

藍鵲尾
（美術紙板）

藍鵲尾/縐紋紙

Scale 1:4

穀倉
禮物

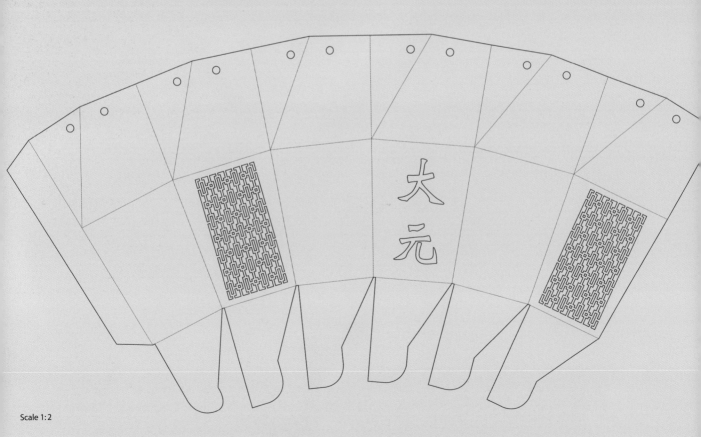

　　有一陣子我們公司為故宮邊上的餐廳做設計，辦公室長滿了一比一的中國窗花，每一個都是線條比例勻稱的造型。雖然最後我們沒有選用其中的任何一款，而選擇了冰裂紋做為餐廳窗框的主題。但這些線條完美的窗花，則剛好成為我設計端午節禮物的靈感來源。

　　我設計的盒子共有八面，分別用窗花與我們公司的名字來做雷射切割；微熱的機器還會讓紙張產生一點點咖啡色的效果，剛好從邊邊透出來。為了這個意外產生的咖啡色，我還去配了咖啡色的緞帶來呼應。

　　這兩款綠色與咖啡色的組合，沒有俗艷的感覺，我稱之為君子色系。而且我們選用粽葉來包茶葉，讓收到的人可以一個粽子剛好泡一杯茶。但收到這禮物的朋友都說捨不得泡，情願放著聞聞那清淡的茶香。Betty收到後也來了電話，她的反應最為特殊：

　　「謝謝妳的穀倉！」她說。

　　對呀，這不就是個穀倉的造型嗎？

　　穀倉還有豐收的含意呢！

夏天
的花藝

匠心手藝

鳥巢

花藝

台灣夏天的颱風，總會吹
下我家大樹很多枝子，它們也可以作為
很特殊的花藝材料。颱風來的時候，我特別
關心風勢的強弱，因為風勢過強會把枝子扭轉成意
想不到的線條。這二十幾年的經驗，我已經知道何時要
衝到院子去撿，免得折損得過頭，就沒有「好收成」了！
我去撿的時候，所有的狗兒都躲在角落避風雨，只有原籍雪
國的賈寶玉會陪我走入大風雨中。這時候牠可高興了，狂風把牠濃密的
毛吹開，牠迎著風頭，展示出從來沒有過的笑容，真是可愛。
這些吹落的枝子，曬乾後綁到一個圓形的鐵圈上，可以做成像鳥巢一樣的
藝術品。如果插上各式各色的小果子，讓紅紅黃黃的顏色
跳躍般呈現，就是別具情趣的鳥巢花藝，放在餐桌正中間是
很亮眼的裝飾。

仲夏的花藝

　　黃色的狐狸尾草，夏天長得最好，那長長鬆鬆的感覺已經很特別，頂上自然尖起來的造型讓它更別具個性，跟它搭配的其它葉材都只能算是配角。

　　台灣擁有非常多的葉材，原生種與再生種錯落於山區，為了求得陽光的照射，都會產生非常有型的線條，不像有些地區只有一望無際的單一植物，無法呈現這樣精采的風情。這些葉材，讓投入式插花變得很容易，隨興丟入花器裡都有其自然瀟灑的造型，很像那種不拘泥俗套，穿白襯衫牛仔褲的女生。

　　夏天若沒有颱風，也可以買尺寸相同的香蕉葉來搭配。這也沒有什麼學問，直直的放到花器裡，重複調整幾次就很大器了。

　　餐桌上再搭配鳥巢花藝，選擇相配的毛巾顏色，讓整個請客的色系定調於夏天，讓人感受到一種仲夏的豐盛氣氛。

齊家心語

給女兒的信～
翅膀硬了

　　佛說：「人身難得」。平日忙忙碌碌，渾噩度日，沒有多想這句話的真義。直到見證過藍鵲在我家的生長，才深深體會生而為人是多麼的幸運難得！

　　我家住在陽明山，院子裡有一棵高大茂密的香楠木。去年（二〇〇六）五月，藍鵲首次飛來樹上築巢，生殖，從那整個的過程，我才知道看似氣宇軒昂的牠們也有驚慌脆弱的一面，理解了牠們生存的艱辛。

　　藍鵲生性兇猛，自衛性很強，牠們來我家築巢後，原本常在庭院出沒的麻雀、綠繡眼等其他小鳥全不知閃到哪兒去了，取而代之的是香楠樹下不斷出現的蜥蜴、青蛙、小蛇的殘骸碎骨，看了很覺不忍，但也無可奈何。畢竟，沒有吃食，何以生存？

　　去年藍鵲媽媽開始孵蛋後，牠們一大家族忙進忙出，輪流照顧。有一天我在屋裡聽到不一樣的叫聲，彷彿很憤怒又很驚慌，似乎是在求救，趕緊跑出去看，只見巢裡的藍鵲媽媽抱著蛋團團轉，一隻松鼠正與牠搶奪懷裡的蛋呢！那隻松鼠不知打哪兒來的，我們在這屋子住了近二十年，還是第一次見到松鼠到訪。為了這頓大餐，想必牠在附近守候很久了，等到媽媽落單趕緊跑來下手。我們

立刻拿棍子去揮趕，已經搶到蛋的松鼠趕忙逃命，卻因驚慌過度，到手的蛋噗一聲失手掉下來！這種以前只在卡通影片裡看過的畫面，竟活生生在眼前搬演，我們的心情和樹上的藍鵲媽媽一樣，很錯愕，也很傷心。

經過那次松鼠事件，藍鵲家族更小心翼翼的照顧著剩餘的蛋。但松鼠也像卡通片中的壞蛋，沒吃到總是不死心；我們再次聽到求救聲跑出去揮趕時，狡猾的松鼠已經得逞，一溜煙跑走了！

兩次遭襲失蛋，警覺的藍鵲家族悻悻然打包離開我家大樹。松鼠也從此不知下落了。樹下不再有青蛙、蜥蜴、蛇的殘骸碎骨，綠繡眼和麻雀也回來了。院子恢復昔日的安靜和清潔，我以為藍鵲們找到一個更隱密安全的窩，不會再回來了。

但是生命變化難料，今年三月初，牠們成群結隊又來築巢，而且比去年早了兩個多月。也許擔心松鼠事件重演，這次的新家比去年築得高，幾乎是在香楠木的最頂端，我們稱它是「香楠旅館」。我們一家有著歡迎老友歸來的喜悅，也再度感受著蜥蜴、青蛙、小蛇等等小動物殘骸落地的無奈。不過，我們還每天切了木瓜放到樹上，算是「香楠旅館」奉送的水果點心。

台灣野鳥協會的義工陳勇明先生，去年知道我家有藍鵲後即定期帶著長鏡頭來觀測拍攝。這回他很高興的告訴我，藍鵲寶寶已經出生，可能有三隻以上呢。他教我聽寶寶的聲音，我拉長耳朵屏氣靜聽，果真聽到低微卻又清脆的叫聲，一時好興奮也好感動。

陳先生拍到的畫面，藍鵲媽媽不但幫張開嘴的寶寶餵食，還會幫寶寶清理肛門，然後把巢中排泄物帶出巢去丟棄呢。每一個畫面和細微的動作都充滿了感情，讓我更了解牠們對幼鳥的愛和照顧，感動之餘也油生了尊敬之情。

那窩藍鵲寶寶雖然沒有受到松鼠騷擾，卻也未能全部平安長大。陳先生來後不及一周，一天中午我們發現泳池中有一隻淹死的藍鵲寶寶，下午又發現了一隻；到了黃昏，聽見狗叫的聲音有異，衝出去一看，哎呀，我的愛犬賈寶玉的口中，竟然含著一隻驚叫連連的藍鵲寶寶呢！我們迅速從寶玉口中救下寶寶，把牠送回樹上，讓焦急的媽媽把牠帶回巢裡。但是，天黑以後，大樹下又掉落一隻寶寶，牠可能比較瘦弱，落地就摔死了！

一天之中，三隻幼鳥夭折，我除了傷心，也擔心牠們是否感染了禽流感，趕緊請陳先生來看看。他觀測後告訴我，巢裡還有四隻寶寶；原來牠們今年生養了七隻新生命呢。陳先生安慰我說，幼鳥在學飛的過程中常有意外，不可能全部通過飛翔訓練；這三隻夭折的寶寶是難得的標本，他會送到鳥類協會去讓他們做研究。

第二天，為了擔心「賈寶玉事件」重演，把五隻狗狗關到後院去了。賈寶玉自是一千個不情願，頻頻吠叫抗議。我們趕緊去買了紗網蓋在泳池上，以防幼鳥掉下來又被淹死，為了讓藍鵲寶寶有個安全的臨時學校，忙到中午過後總算大功告成。我倒了杯水，正想在客廳休息一下，卻見一隻寶寶天不怕地不怕的溜到院子來了！喲，牠已經知道這是牠的學校啦，左看看，右看看；往左走兩步，往右走四步；停一下，又快速的往前走，直直走到客廳門口。「香楠旅館」的親鳥們一時嘎嘎齊鳴，聲音透

著緊張和嚴厲，似乎在警告、指責這隻寶寶太不知輕重了；「如果被人抓走了怎麼辦呢？」——我想起孩子們幼小時，如果做出什麼面臨危險的動作，我也是要警告、斥訓他們的。

我們的客廳門有一部份是毛玻璃，我從裡面看出去，只見一個大約十五公分高的黑影子，似乎信心滿滿目標清楚的直直走過來。牠走向這道門，是有什麼目的嗎？我一時緊張起來了，好怕開了門會嚇倒牠。牠那堅決的黑影子定在那裡，讓我直覺那是一個按鈴的動作，於是輕輕的小心開了門，對牠說：「歡迎！」

那隻小寶寶剛長毛，一身灰撲撲的，翅膀已經出現寶藍色，一雙長腳顯得特別醒目。牠就在門廳直直站著，臉上沒什麼表情，一動也不動。但是我一走動，牠的頭就會跟著轉動，似乎已懂得觀察我呢。

二十分鐘過去了，我和寶寶就這樣靜靜對望著。

我過去想抱抱牠，牠卻張開翅膀作出抵抗之狀，似乎是在告訴我：「不要來碰我哦，我要飛囉。」——其實牠還飛不起來。我順手幫牠轉了個方向，牠彷彿想起該回家了，朝著原來的路徑筆直的走回去。

親鳥們看到牠要回家了，一起發出欣悅的嘎嘎聲，彷彿在拍手歡迎倦鳥歸巢。我幫牠抱上樹幹，牠一跳一跳的，輕快的跳回「香楠旅館」。

到了黃昏，又有一隻體格較小的寶寶到了地面，一跳一跳的張著翅膀，往泳池的方向走去。雖然泳池已經蓋了紗網，我還是很擔心的看著牠。只見牠突然停下腳步，似乎在想牠的下一步。很快的，牠再度張開翅膀，跳了一下，又一下，試著飛起來，看得出牠的目標是要飛上泳池邊緣大約六十公分高的台子。不過

第一次沒成功，剛起飛就掉下來。過了一會兒，牠又跳，跳，飛，只差一點點就要飛上去，最後仍然掉下來！但牠不氣餒，停了一下再度跳，跳，飛；哎呀，這次終於成功了，我好興奮的為牠鼓掌叫好。飛上台子後，牠停了一下左右觀望，然後看著大樹頂端的家，再度揚起翅膀，一鼓作氣飛回去了；要回家對爸媽驕傲的報告：「我會飛啦！」看著牠那昂然而輕快的姿態，我既激動又感動，「翅膀硬了」四字，如刀割一般的在腦海旋繞不停，眼淚潸潸而下了。

過沒幾天，翅膀硬了的牠們離巢而去，賈寶玉和牠的狗兄弟們才又爭回前院的地盤。

牠們走後，陳先生告訴我，藍鵲家族今年可能二度來築巢下蛋，我半信半疑的等著。七月底，我跟大女兒姚姚在舊金山，仁喜在電話裡告訴我，陳先生說的沒錯，藍鵲一家真的又來築巢了。

鳥學飛翔，人學走路，都是為了生命的自立。搖搖擺擺的學習途中，當然需要一個安全穩定的環境。我的大女兒姚姚，是在台北的國父紀念館廣場學走路的，因為那裡不能行駛汽車，比較安全。就在藍鵲家族今年二度來我家築巢生養的暑假期間，要不要讓即將升大二的姚姚有一部汽車，也讓我與仁喜面臨了女兒翅膀硬了的轉折。

姚姚在休士頓讀大學。仁喜一直不願意讓她有車子。我雖然很早就開車，也了解在那似沙漠的休士頓沒有車等於沒有腳，但是想到她有車以後，可能像翅膀硬了的藍鵲完全自由自主，一定令我們擔心，所以總不願她有車。不過，今年暑假，為了她的健康，我的態度改變

了。姚姚從小有過敏體質，今年暑假又去測試過敏原，發現包括紅肉等許多東西都不能吃，決定以後只吃魚類和沙拉。而學校餐廳供應的大多是牛肉等等含過敏原的食物，如果有了車，她就可以去買她能吃的東西回來自己煮。何況，學校放假的日子，同學都走了，沒有車也等於監禁一般。經過這一番衡量，我決定為姚姚去向仁喜說情：「就把我的老爺車給她用吧。」其實，我真正想向仁喜說的，不止是過敏原與車子的問題，而是我們這個女兒，已經「翅膀硬了」！

我和姚姚花了四天三夜的時間，由舊金山開著我的老爺車到休士頓。這也是我最後檢驗她的翅膀是否真的硬了的刻意安排。我像個嚴格的駕訓考官，只要她頭沒回，習慣不好，就像鸚鵡一樣的說，「頭一定要回！」，「不要快！」，「小心！」

那一路上我倆天南地北的聊天，共同回憶著她的過去，也聊她的未來，課業，環保，政治，讀過的書，看過的電影劇本，以及朋友，家人，男人⋯⋯。我竭盡所能的想一口氣告訴她什麼是好男人，要怎麼選未來的丈夫，希望把我所知道最好的告訴她，提醒她要注意的種種。最後，她下了結論：「再怎麼樣都不可能找到像爸爸這麼好的男人。」她還很洩氣的說，她大概不會想結婚的，因為她不能忍受男人不像爸爸那麼好，或是男人比她笨；「乾脆就不要結婚了！」

糟糕，這還了得！趕緊轉移話題！

於是我又花了大段的時間跟她宣揚傳統中國女人相夫教子的道理。好的伴侶不是天上掉下來的，一定也是相互成長的。像她爸爸，結婚前租屋在外，幾乎不回家跟家人過節，還說

了一句「有不動產會阻礙我的自由」這樣的名言。哪想到有一天自己也有了房子，還開設建築設計事務所，為許多別人的不動產服務。我們結婚前，母親來巡視他租的公寓，看到自己女兒小鳥依人無怨無悔的偎在他身邊，只好嘆口氣說：「洗衣機你總要買吧！？冰箱也換個有冰櫃的，否則半夜餓了沒東西吃呀！」

我倆結婚後，是從那樣的自由瀟灑，一點一滴的慢慢建立了「家」的概念；從只養一隻狗的無拘無束到擁有三個孩子的熱鬧家庭，我們的「家」終於茁壯了⋯⋯。我也告訴她，夫妻之間是從兩個不同的環境與概念，慢慢相互影響縮小距離的。如果天上掉下一個十全十美的，那往後還有什麼戲好唱了呢！我媽當年也不可能知道她以為會受點委屈的女兒，後來也終於擁有了冰櫃等等電器用品！所以，知道怎麼找個有品德的男人最重要，其他都可以留在將來一起打拼，一起成長。我也再三提醒我們這位小女強人，能幹要收起來，別露在外面把先生給淹沒了，「有些女人是能幹容易溫柔難呀！」我也把我的裹小腳道理告訴她：將來有了孩子，千萬別讓先生背那種軟質的車棉尿布包，在我眼裡，「那是女人的事情。」男人在外面要帶兵打仗，不可以被瑣碎的家務影響了氣質。而且，男人的氣宇軒昂也不盡然是天生的，大部分還得靠後援部隊的整齊，使他能夠比別人有把握，走起路來長風的。妳想要有位妳服貼的另一半，端看妳自己怎麼培養了，或是端看妳自己怎麼收斂自己了。否則就算妳找到一個如妳願比妳強的男生，而妳跑的這麼快，他成長不夠快妳大概沒多久也會乏味的。我還說美國的風氣是，女人花所有的力氣爭取自己跟男人一樣的地位，最後是男人被比下去

了，但女人也不見得得到更多，也不覺得創造出更多幸福的女人；反倒是可怕的離婚數字，與無數單親孩子的教養問題。如果看這些年來美國的年度財務報表，可能會發現夫妻花在分工不明確，相互比擬上耗損的精力過多，原本該花在孩子教育養成的心力與費用，卻跑到訴訟費、贍養費、律師費的欄位上。這長久的不當抵銷，當然影響這國家實力的成績單。

　　我還刻意的把話題轉到我今年被公司送到美國上課的事。那是一個為期九天的個人成長課程。我發現，這一批美國同學中有各種程度不一的心理問題，需要靠專業老師幫他們回憶曾有過的痛苦記憶，再求證自己所有的痛苦或執著都跟那根源有關後，再列表寫出以後如果我遇到某種情況，我該如何回到痛苦點重新出發……。我則由中國人的成長角度來分析他們的問題，發現問題出在他們的教育，凡事都只從「我」的角度去思考，「我」受傷了！我則想，我放眼望去我所認識的人，那一個沒有受傷呢？你們可能沒有嚐過被大時代的錯誤，而在已有的傷口上撒鹽的痛？「我」受不了，「我」需要去度假，但是度假回來沒幾天，心情又消沉下去了！你們只一昧的要求「我」的滿足，如果「自我」沒有得到滿足，頓時就覺得失落感很重。而什麼是你們所謂的滿足，也沒有很多有跡可循的前例，因此很容易以為在某處，一定有一個理想滿足的境界在等著。

　　而事實上，人生的功課只有當下；在這裡，不在遙遠的彼端。

　　同學中一位著名大企業高階主管的痛哭，最是觸痛我的心。她擁有哈佛大學法律博士學位，在公司位居一人之下百人之上，平時的言談非常強勢，明顯流露一種自我優越感。後來我們進行分享課程時，出乎我的意料之外的，她突然對著我抱頭大哭，說她有一個智障的孩子，她幾度想把這孩子送到美國中部一個基督教家庭去。從她的抱怨裡，我明白了她的壓抑是因為她覺得生下智障孩子是一件丟臉的事情！這顯然是個人環境教育的問題。我於是立刻告訴她：「在東方，我們有不一樣的看法。雖然照顧這個孩子是非常辛苦的事，但從長遠的角度看來，東方人的家族稱這孩子是幸運兒，因為這孩子時刻提醒我們要用不一樣的觀點看待事物，激發我們深度的愛心，而且凝聚家人的感情。」

　　並且我向她特別強調：我們中國人，從不以為這是「不正常」的孩子！

　　她擦乾眼淚追問我究竟，我對她弘法，把一般我認識的朋友的經驗告訴她。那些先天異常的孩子，帶給每個家庭不一樣的考驗，但我的朋友們都努力的照顧著各自擁有的特殊生命，朋友之間對他們只有更加敬重。最後我還不客氣的數落那個高階主管：怎麼可以把這樣的事跟自己的成功與否扯在一起呢？這是生命的功課，只是妳的考卷跟別人不一樣罷了！

　　課程結束時，她特別寫了一封感謝函給我。一念之差，希望以後她會以更寬容的胸懷面對自己的生命課題。由此我也看出我的同學中，很多人雖受過最高的教育，位居重要的事業角色，但生活上與心理上卻是混亂的居多。

　　這個比較，讓我體會到中國人對「生命」或者「命運」這件事，好像比他們都容易或自然的在接受。我所認識的親友中，很多人經歷各種生命的挫折，起先看起來不盡如意，但最後仍能活出一片美麗的境界，那是因為他們懂

得與命運和解共生的智慧。有人認為中國人常説的「認命」過於消極，我卻覺得「認命」是一種自我了解的過程，是積極的，勇於面對現實的生活態度。中國教育是鍛鍊自己的心漸漸減少「我執」，凡事該為別人設身處地，盡量做到「利他」為先。一個人的「我執」越少，心就越寬，越柔軟，心理上的問題將會越少，如果受訓的同學們都懂得「認命」的生活智慧，應該會活得更自在更快樂吧？西方教育在強調個人自主與創新上，當然有值得借鏡之處，如果能把「我」字減少一些，相信會更自在而完美的。

最後，回頭再談女人。中國的一句老話「行有餘力則以學文」，我的解釋是，先「安定」了自己的家，再發揮自己的才能。「安」字不是一個屋頂，裡面有個女人嗎？女人終究先得把家照顧好，才算真正的「安定」下來！總而言之，「相夫教子」絕對該是女人的第一事業！

我萬萬沒想到，在我的女兒翅膀硬了要飛走的前夕，我急切嘮叨的，居然是這種古老的三從四德話題！跟我母親當年告誡我的一樣，居然一點進步也沒有！當年我只覺得落伍，八股，不可思議，因為男女本來就是平等的呀！沒想到幾十年後，我會用同理的心情，想塞入女兒羽翼中的，盡是前人流傳下來的老話。也許，不管世界有了多大的變化，中國女人的傳統還是根深蒂固的在我們血液裡吧？

我們漸漸開進休士頓市區，交通開始混亂起來了。車上的「定位導航系統」不斷傳出「你已偏離路徑」的聲音，我這個「翅膀硬了」的監考官卻只平靜的看著有點緊張的姚姚。她要兼顧開車的技巧，方向的本能，兩邊車輛的威脅，道路的訊息，準時回校報到的時

間壓力，在媽媽面前的尊嚴……，再加上這輛老爺車的性能，保養等問題。我告訴自己，放下！讓她去！她的人生要面對的，不就是這些類似的事情嗎？即使她的路徑曾經與「定位導航系統」偏離，繞了一點路之後不是又回到正路上了嗎？

同時，我卻也不免焦急的在內心反省與質問：孩子呀！二十年來，這家庭，學校，社會為妳建立的「人生定位導航系統」，足夠妳應付一個比我們這一代還複雜的時代嗎？

平安的抵達休士頓後，我坐飛機回舊金山，在飛機上感慨得哭到不成人形。隔壁的旅客與空中小姐以為我發生了甚麼事情，都來安慰我，聽我解釋哭的原因後，他們反都嘲笑我：女兒離開家上大學已經第二年了，妳這個做媽的怎麼還不能適應呢？嗨！他們哪知道，我想起了藍鵲寶寶「翅膀硬了」；想起牠們離去的畫面曾經如刀割一般劃過我的腦海！姚姚成長的幻燈片，也一張張依序在腦海放映著，每一張停格的畫面底端，都有那藍鵲優美自在展翅高飛的剪影。他們哪能體會，從我眼裡不斷溢出的淚水，難以抑制的，一滴滴交溶的，都是做母親的喜悅，焦慮，以及無限的思念啊！

中國
教育

君子之交與處世原則

人的一生，從小到大，從大到老，每個階段都會認識一些人。也許是鄰居，同學，同事，同業，或者志趣相投的同伴與同好；如果一一加以統計，也許有數千甚至數萬人之多。但是到了晚年屈指一算，真正知心的朋友竟然沒幾人。緣分，機遇，加上人心難測，交朋友確實是一門很複雜的學問。一個人也通常是在心智比較成熟或上了點年齡之後，才會對交友有較清明而深刻的體悟。所以，對於交朋友這件事，我想提醒孩子們一句深含哲理的中國古話：「君子之交淡如水」，希望你們牢記在心。這句話出自宋朝大詞人辛棄疾的《洞仙歌》：「味甘終易壞，歲晚還知，君子之交淡如水。」

人都有怕孤獨的天性，尤其年輕時心性未定，在與朋友交往的過程中，往往擔心自己被排除在「圈外」。而為了成為「圈內人」，多半要付出一些代價，譬如附和，盲從，不好意思說「不」等等。有時為了證明自己是同一圈子的人，甚至必須做出某些違反本意的行為以迎合對方。如果父母沒有從旁給予正確的指引，孩子很可能迷失自己，走錯方向。所以做父母的要特別留心，孩子們上學後，要持續的訓練他們學習獨處，培養獨自分析事情的能力，以後才不會人云亦云，害怕孤獨。

現在的孩子們，很流行放學後去同學家過夜，聚在一起聊天。我也觀察到，孩子們外宿同學家，聊天的時間一長，很容易轉移到談論別人的八卦，不知不覺中造了口業，未經思考的說了損人不利己與具殺傷力的話語。因此，除了暑假參加夏令營，平時我是不太同意孩子外宿的。

弘一法師說：「別人不好處，要掩藏幾分，這是渾厚以養大。」做人的諸般修養中，口德是一項最重要的品德，可惜現代教育很少強調這項德性，很多人都是長大進入社會做事後，才由待人接物中逐漸體悟這項德性的重要。古諺亦云：「修己以清心為要，涉世以慎言為先。」可見古代先賢也體悟口業之害，才會有此告誡之言。

訓練口德，我覺得第一步就是少說話。孔子教我們「聽其言、觀其行」，出口的言詞，代表著他為人的寬度廣度與深度。安靜的觀察自己周圍的人事物，可以讓自己免於很多不必要的紛爭。而且由這層觀察工夫中，也可以明白「近朱者赤，近墨者黑」，比如心裡善美的人，說出來的話也是善美的，所以選擇朋友是要有原則的。如果想了解一個人，先看他交的是怎樣的朋友，大致就可以拼貼出一個輪廓。可見在無形之中，人是會被朋友所影響的。而為人之友，更要學習替朋友分擔痛苦與為朋友歡喜的胸襟，尤其是替別人歡喜的習慣，因為它的反面就是忌妒心，「*to rejoice in another's happiness*」這是需要培養的德性，有此德行的人，

生命中一定有很多的好朋友。

我也知道，跟孩子們說交朋友以「淡如水」為準則，是很不容易講得清楚的，畢竟他們的生活歷練還沒有到達那個境界。所以我想強調的是，友誼確實可貴，很多時候，友情是很重要的精神支柱，但選擇朋友一定要懂得以良師益友為原則。

關公「桃園三結義」的故事很有名，義氣在朋友間也很重要。但義氣絕不能是盲目的，要看清楚動機。很多朋友之間的不幸故事一再重演，關鍵往往是交友不慎，誤用義氣引起的悲劇。尤其是在商業場上，結交一些了解自己弱點的朋友，對方心機重重步步為營，自己卻把義氣放在眼前。於是借貸，背書，連帶保證人……；反正是哥兒們嘛，講義氣，一句話！剛開始，也許沒警覺到問題，後來發現不對勁，礙於哥兒們的義氣也不好翻臉，拖到最後，事情嚴重緊急，要救都來不及，深受其害的是自己；不止失了金錢，友情也成了陌路。

我認識一位樸素的烹飪老師，很多台菜的問題都去向她請教，但不很了解她的生活背景。有一天我們相約去採楊梅，我開車去載她，經過福林路復興橋往雨農路的方向，她指著一棟臨溪的四層樓說：「我以前住在那裏！」那房子的外牆是典雅的磚紅色，每一層陽台都垂掛著溫馨美麗的植栽，我邊看邊不經意的說：「後來呢？」她半晌沒聲音，

我轉頭一看，她在找面紙擦眼淚！原來是她先生需要資金週轉，她不好意思拒絕，結果經營不善，白道黑道一起來。我這才知道，很多悲劇，不只發生在商場的哥兒們之間，夫妻家庭之間不知也有多少這樣不能彌補的遺憾。

因此，我也要告誡孩子們：有多少錢做多少事的處事態度。很多人以為借款是容易的，把一塊錢當五塊錢用，景氣好的時候，神氣的當董事長，忘掉所有的錢是借來的；景氣不好的時候，借東牆補西牆，洞口越來越大，總期望等待個時機，藉自己職務上的方便撈一筆回來。這種趁機補洞的行為，有一兩次讓他真的嚐到了甜頭，膽子也越來越大，殊不知整本帳終有一天是要攤出來的。

弘一法師還有一句話說：「人生最不幸處，是偶一失言，而禍不及；偶一失謀，而事倖成；偶一恣行，而獲小利。後乃視為故常，而恬不為意。則莫大之患，由此生矣。」這些老話，都是前人的生活經驗，若能及早明白，就會避免取巧，建立正確的處事態度。所以，我希望孩子們多讀先賢留給我們的誡語，然後建立一套自我的處事原則，不時檢討自己是否心安理得，也審視周遭朋友之間的相處之道。

如果能夠這樣，交友與處世的路相信可以走得比較平坦，不致重複別人的悲劇，掉入藏匿於暗中的陷阱。

天上的婆婆～
談教育

仁喜二十六歲時，母親不幸因腎臟病去世，得年五十五歲。那是一九七七年，仁喜正等著柏克萊加大建築研究所的通知。但是核准入學通知書寄到時，母親已看不到了。在那個年代，申請柏克萊碩士班不容易，能被核准入學也是一種榮耀。仁喜的母親一向最重視孩子的教育，沒來得及與仁喜分享那份榮耀，對母子兩人來說都是很深的遺憾。

我與仁喜認識後，就常聽他談起已經往生的母親。一九八五年與他結婚後，我都稱他母親是「天上的婆婆」，也常聽大伯仁祿小叔仁恭小姑明芬談起她生前的種種。在他們的記憶拼圖中，母親不但擁有很多中國女性堅忍的個性與美德，在教育孩子方面尤其有獨特的方法。對這位無緣謀面的「天上的婆婆」，我的內心一直充滿了好奇和敬愛。

仁喜的父母親，是在一家公立銀行工作時認識而結婚的。仁祿出生後，母親就辭了工作，專心在家養育孩子，後來又陸續生了兩個兒子一個女兒。四個兒女有兩個讀私立中學、三個私立大學，畢業後還出國留學，成就他們的高等教育與一技之長。當時的公務員薪水微薄，只靠父親一份收入，這位家庭主婦如何安排財務的支出與平衡？

二十多年來與仁喜兄妹相處，我並沒感受到他們來自一個需要斤斤「計算」的家庭，或是暑假要他們去打工幫忙賺學費。只知道父母親對自己克勤克儉，再辛苦也不讓孩子感受到金錢上的壓力。仁恭記得初中時，有一次聽母親對父親說，要讓明芬去學游泳，父親覺得太貴了，起先不同意，母親就一直強調明芬的同學都已經去學，她再不去學就會跟不上人家……。結果卻是明芬與仁恭一起都去學游泳了，對小家庭當然又是一筆額外的開銷。

就因他們不願讓孩子在成長的過程中因為金錢的困擾蒙上心理陰霾，也讓他們培養了相當程度的自信心。現在三個兒子都自己創業，我跟著仁喜工作二十多年，對於他有那麼大的自信仍然常感驚奇。他的兄弟也一樣，做任何事都是勇往前行，沒有後顧之憂的思維模式。我想，這種渾厚的自信心，主要的來源就是家庭；因為母親在他們的生命中一直是穩固的支柱，讓他們沒有心理負擔，做任何事不必瞻前顧後。有些有錢人家的孩子，都還可能畏畏縮縮的，更何況是經濟上要能擺得平的公務員家庭，光是這一點就讓我對「天上的婆婆」由衷的感佩。

仁喜與仁祿只差兩歲，哥哥先唸東海大學建築系，仁喜則以可以進台大電機系的狀元成績，卻堅持要跟隨哥哥的腳步，也要去東海大學建築系。仁喜的父母並不以「常春藤名校」的普世價值標準來限定他們的前途，反而以尊重孩子的決定，選擇他們喜歡的領域，這樣的開明與尊重是多麼難得呀！到東海後，母親知道他們的功課忙，常常一早從台北乘車到台中，幫他們把衣服洗一洗，洗好就再乘車回台北，有時一面也沒見到。她對孩子的愛，一直是這樣默默的給予。

　　仁喜還保留了一些他寫給母親的信，其中一封是要母親幫他做衣服，不但畫了衣服和揹在一起的嬉皮袋樣式，並且註明顏色如何搭配，要母親過幾天做好就送去給他。他還畫出眼鏡的樣子，要媽媽找給他。其他更多生活上的要求更不在話下了。

　　仁喜也記得一件小學時買衣服的事。他說，有一年快過年了，母親帶他上街買新衣，要他自己挑選一件，他看中的是櫥窗中一件女人穿的黃色衣服，而且很貴。母親就說，我們再比較看看，於是帶著他在大街上逛了又逛，走了好久希望他能改變主意，選一件便宜些而且適合男生穿

的。無奈幾個小時下來，他還是只中意那件黃色衣服。母親看他那麼堅持，最後也就忍痛買下那件又貴又有女人胸線的新衣。這種尊重孩子選擇一般認為不合適的衣服的小事件，充分顯示母親的智慧與寬大的包容心。

　　對於其他三個孩子，她也都在他們需要的當下，適時的出現在他們面前。我自己做了母親後，才知道那種穩定感的給予，是需要付出多少的承諾與心力。

　　仁祿說，他上高中時，每天都弄到很晚回家，母親只是坐在沙發上等著，見他進門也只告訴他冰箱裡有甚麼吃的，從不追問他去哪裡。她知道那個年紀的孩子充滿好奇心，外面的世界會吸引他們去做一些沒做過的事；而她只是把擔心留在心裡，察言觀色並默默的祈禱，孩子若有事，自然會告訴她的。這種完全的信任，讓孩子們日後更知道負責，即使偶而做錯了事也沒有畏懼，不需編造理由甚至謊言去解釋，因而養成孩子凡事誠實的個性。我自己來自家教嚴謹的家庭，對錯分明，規矩很多，為了怕被責備，做錯事總會找理由解釋；嫁到姚家後，覺得他們的生活比我自在多了。

仁喜回憶說，他母親的思想看起來很傳統，其實也很現代。譬如他們十多歲時，有時候吃飯前母親會拿出刀叉排在桌上，宣布說：「今天吃西餐。」藉那個機會教孩子們怎樣使用刀叉，學習吃西餐的禮儀。她也隨時注意如何分配孩子做家事，譬如仁喜很會生火，她就把這種粗重的事留給他做，對於唯一的女兒，則分配她做其他細微瑣碎的家事。

女性在家庭中要扮演各種角色，處理細微瑣碎的家事也是要務之一。我母親也很會訓練我做家事，尤其要求我凡事「順手」完成。她說，沒有養成「順手」收拾的好習慣，周遭就會亂，心也會跟著亂。那些沒有養成好習慣的人，周遭的東西又亂又髒，找不到要用的東西又心急，常年累月如此，工作效率打折，身心也不健康。我母親說很多心理病都是因為平日沒有整理的習慣間接而來的，她常說習慣變成個性，個性變成命運。所以好習慣的建立，我認為是非常重要的教育項目。但現代父母大多體貼孩子課業繁重，往往不在這方面下功夫，最後辛苦的還是沒有養成好習慣的孩子。

仁喜從小有氣喘病，當然需要母親更細心的照顧。我問大伯、小叔與小姑，是否覺得母親對仁喜比較偏心？除了小姑對母親只叫她做家事稍有微詞外，他們並不覺得母親對他們有所怠慢。

他們上中學後，母親又開始出去上班，在專利事務所做日文翻譯工作。小姑說，母親會在百忙中跟只有上半天課的女兒在她就讀的北一女附近單獨約會，中午一起吃蛋包飯，有時也邀父親同來參加。對孩子而言，那一定會是很特別的時光。要在孩子心中，感覺得到同樣的寵愛，對做父母而言，是很重要的課題。而我「天上的婆婆」會找出時間來分別給予，確實是用心良苦。

我公公曾跟我說，仁喜的母親做了百分之九十的母親，只做了百分之十的太太，言下之意是要我把心思多放到仁喜身上。這果真是為人之妻與為人之母兩難也是需要雙方都顧及才行的。

我們任家則是全然以父親為主的，也因此，我從小到大都就對父權或衍生出來的威權感到那麼畏懼。而仁喜家的孩子，因為沒有威權的威脅，生活得很自在，一切理所當然也理直氣壯，難怪三兄弟長大後都只能自己創業，他們是不可能臣服於單調呆板的工作體系的。

在那個年代，能把生活的重心放在兒女身上的家庭並不多見。仁喜最早的兒時記憶是一個大約五吋的奶油蛋糕，上面插了蠟燭。在一個小小的房間中，黃色的燭光搖曳，爸爸、媽媽和哥哥圍繞著他。世界就那麼大，而他在那世界的中心，所有最親愛的人圍繞著他，小小的燭光點亮了整個世界。那個剎那，他只覺得安詳，溫馨，而且完整。仁喜並不是每一年都慶祝生日，那張現在看來沒什麼大不了的相片因而更顯得珍貴。回溯到他幼年那個年代，那對辛苦忙碌的父母希望給予孩子整個世界的祝福，每次想起來都覺得好感動。而那搖曳的黃色燭光，像在仁喜的身上包裹了一層愛的糖衣，使他的心靈能夠刀槍不入。他學習佛法之後，常以這個氛圍做為一個傳統修慈心的方法，在心中喚起曾經受過感動的愛；再讓它流向所有的人。

仁喜因為從小就有氣喘病，無法到學校上學，整個小學教育都是母親以HOME SCHOOLING的方式在家教的，他只在考試時才到學校，而每次的考試成績都是全班第一名。他說，那時沒什麼圖書館可借書，家裡的書也不多，當時書很貴，好不容易母親買一本新書回來，他總是不消幾個小時就讀完，後來母親就想出一個教他讀字典的方法；通過這種「慢讀」，他的文字進度比誰都快。

一個該去學校上學的孩子，卻不能去學校和同學一起玩樂，想起來就覺得好孤單。但是仁喜說，和母親一起在家度過的那段小學時光，他從來不覺得孤單。因為母親除了教他學習課本上的知識，也陪著他玩樂消遣。譬如那時有人騎著腳踏車載著箱子四處走，箱子裡有各種雜誌出租，母親租了日文雜誌來看，雜誌後面附有做摺紙等簡單手工藝的方法，母親就會陪他一起照著做。有時還在紙上畫格子，讓他學著畫漫畫。有時是把她小時候看過的故事書，一次次的說給他聽；難怪仁喜這麼會說故事！

仁喜寫的一手好字，也是得自母親的遺傳和指導。仁祿形容母親的字像她的人，乾淨爽直而透明；她晚年學習于右任的草書，有格局也重細節，相當大氣。她還寫了很多詩，紀錄生活裡的所思所感。

每次聽仁喜說起母親種種，我都好像看到為了孩子而三遷的孟母，一心一意的為孩子付出自己。但我又想，孟母幽默嗎？因為仁喜的母親不但為孩子全心付出，還把四個孩子都教導得幽默詼諧。當然這幽默最大的原因來自沒有威權。於

是我再推算回去，家裡有個氣喘兒的母親，日子雖然艱苦，但她能夠甘之如飴，才能使家庭永遠充滿歡欣的氣氛。

仁喜氣喘發作時，必須靠氧氣筒呼吸，母親總是徹夜目不轉睛的照顧他。有一次他發作得特別嚴重，一整夜無法躺下，母親整夜未眠並於一早就帶他去開封街的「吳物典小兒科診所」，讓醫生在那已經發黑的手背血管上打了一大針。為了慰勞仁喜的病苦，打完針之後母親就帶他去診所對面二樓的餐飲店，請他吃了一個在那個年代算是珍貴的甜點。

仁喜清晰的記得，跟母親坐在那個靠窗的小小角落，看著窗外的陽光，街上的行人，一小口一小口的吃著甜點，心裡好放鬆而且好溫暖。母親沒有吃，一夜沒睡的臉上雖是疲累，卻是滿臉微笑的看著他。那種幸福的安全感，至今環繞著仁喜。

仁祿說，母親總是擔心孩子，但卻從來不對孩子說，好似要有很多的擔心才能求得個安心。我與仁喜有了三個孩子以後，體會了那種悲與喜的內心糾結，也更能了解他母親那個疲累的微笑，飽含的不止是欣慰，還有深深的不捨。

我把這些年從仁喜與其他手足身上所看到的特質，反推到拼圖的版塊上重新組合，看到我的天上的婆婆的臉龐，如同她寫的書法一樣的大氣，有格局也重細節。

謹以小姑明芬在教會唱詩班所唱的一首由詹宏達先生所寫的歌，來讚美我從未謀面，卻感激至深的 —— 天上的婆婆：

母親為什麼常流淚，當夜幕低垂？

因為她從苦難中走過，回憶湧上心頭。

母親為什麼常流淚，當孩子已熟睡？

因為她憂慮愛子前程，祈禱化作淚水。

母親為什麼常流淚，當天色將黎明？

因為她背負一家重擔，勞苦不離肩頭。

母親為什麼常流淚，當夕陽照廳堂？

因為她思念太深太多，兒女遠離身旁。

母親眼淚偷偷隱藏，面容永遠慈祥，雖然歷經萬般苦難，心碎依然堅強。

母親眼淚如此熟悉，好似人間真理，因為天父真愛在她心中，以此為愛受苦。

談吐藝術 中國人的成語教育

我們那一代的中文教育，除了教讀書寫字，閱讀聆聽，寫作說話之外，還要背誦詩詞與經典。除了加強我們遣詞用字的能力，也要我們了解古人的歷史、生活、德性、情感等，以求寫作文能夠對照使用，描繪精確。

上初中時，中午吃過便當，趴在桌上睡個午覺後的第一堂課就是《世說新語》，眼睛還沒張開，就開始聽老師在上面說一堆古人的故事。老師的聲音像唸經，沒有高低起伏，正適合讓我閉眼睡個回籠覺。回家要寫作業了，才開始一個字一個字的爬，但《世說新語》是魏晉南北朝時南宋的劉義慶所編撰，文字都是文言文，上課既然沒好好聽老師解說，回到家根本看不懂那些字義。還好當時市面上賣的參考書有註解和翻譯，我就買了一本，直接讀那些譯好的白話文。每一篇的字數雖然不多，裡面卻有不少為人處世的道理，老師出的作業問答題特別多，每天總要花上四五十分鐘仔細的寫。老師說可以增加我們寫作的能力，當時我想，這些不屬於現代的故事，怎麼可能跟我產生任何的關聯？老師還期許說，《世說新語》有一千多則，我們只唸了其中的一小部分，有時間，大家該把不在教學範圍之內的也多讀一些。我心想，饒了我吧！都登陸月球了，誰還要用這些老掉牙的文字！

然而報應來了，寫作文常用錯成語，老師就在作文簿上用紅墨水的筆標上圈圈與問號，要求我們寫出最適合文章情境的成語。那些紅色的圈圈與問號，總在我自認很好的一篇文章中，像毛毛蟲一樣的長出好多條來。

　　真正出了社會，我才明白語文是有傳承的，縱使我們覺得古文落伍，現實生活裡還是時常要面對它們。經年累月下來，我的腦海中也鎔鑄了很多像紅色毛毛蟲一樣的字串。

　　在社會上做事，每天都可能應對不同的人事物，遇到的人千百種不同，遇到的事情也越來越複雜。人與人之間的對應，不同因素隨時影響事情的發展，各有需要當下判斷取決的面向。很多時候，發生的狀態與遇到的情境，就是我腦海中那紅色毛毛蟲字串呀！

　　有時事情已經發生，開始運作，直到我終於弄清楚，可能已經是幾個月之後。但那幾個月之間，毛毛蟲字串會不時的出現，提醒我，讓我再三印證，體會其中的道理；有時是讓我拍案叫絕，讚嘆它貫穿古今的智慧，更多時候是讓我解開心中的結，領悟那些趣聞軼事不正是我此刻的狀態嗎？那些精準的成語比喻，有的說中人的脆弱，有的直指人的頑固，千百年來都沒改變啊！

　　而且，很多時候，一句成語，短短的四個字，往往能讓我覺得不孤獨，或者不愚笨，不驕傲；成語的教育，真的讓我們知古鑑今！於是我開始回頭研讀這些成語的由來，推敲歷史上的考證，每每讚嘆我們何其幸運，生活裡有這麼一座偉大的智庫留存至今。我覺得它們簡直就是我們心靈的維他命，精神的安慰劑。

　　前人有言：「聽其言，觀其行」，這六個字是「言在先，行在後」，可見語言在人類的生活中居於多麼重要的地位。我在與人接觸的過程中，發現口才好或溝通能力強的人，都很善用成語典故，或是引用生動的常識，精確的譬喻。一個學養豐富的人，歷史素材似乎是他們的武器，能夠將客觀的人事物，加上不同的歷史與社會風貌加以對照，佐證自己的言論。我從小常跟父母參加老一代的應酬，聽他們口若懸河的談古論今，雖不一定全聽得懂，卻常被他們的機智反應所震懾，有的故事至今縈繞在心，因為他們不但有人生的歷練，也有語言的加持。沒有讀過中國成語與古典文學的人，是說不出那樣動聽又動人的語言的。所謂「出口成章」，他們就是要貶一個人，也是用辭優雅，所引的成語不見鑿痕，或意在言外，或意味深長，卻都具有直入核心的殺傷力。中國歷史人物故事的戲劇性與詼諧，也往往在四個字的成語之間流露出玄遠冷雋、高簡瑰奇的藝術效果。

　　談吐也是現代社會一項重要的禮儀，我很欣賞富有語言智慧的人，能以言簡意賅的語彙表達事物的重點，那種修為實是一個人的福德。我們稱讚一個人會說話是「口吐蓮花」，即是他的語言之美好，已達佛一樣的修為境界。能夠修得這樣福德的人，在我們這一輩，我覺

得蔣勳老師是一位代表。蔣老師不只是作家與美學家，也是著名的藝術評論家，經常要對不同的藝術作品予以解釋，讓年輕的一代能夠親近。一般的評論家，為了彰顯自己獨到見解，常會指出藝術品的缺點，但蔣老師說的，往往是優點的部分；除非是一種辯論，才會聽到他提及作品負面的聲音。我總以為，他並不是不知道分辨優劣，重要的是，他以宣揚美為首要，學生們聽了，其實也可以分辨出來的。這種沒有負面語意的德性，來自他的心胸開闊，總以寬容的眼光看待世間萬物。現在的中文教育，似乎不太重視談吐修為方面的教導，連國會議員都常惡言相向，電視又一再播放，對孩子們的語言與人格教育都是很不好的。

　　依照我這幾年的統計，基本的中國成語約有八千七百個，是我們的祖先點點滴滴留下來的生活智慧。我在網路上發現基隆市武崙國小有個成語詞典網站，遂以之作為我對成語分類的參考；去除比較艱深的部分後，還有大約七千個成語跟我們的生活息息相關。再加上生活中的諺語七百多個，最後我以寫人、寫事、寫物、寫事理、題辭等項，分別予以分類整理。

　　寫人，以身體、相貌、形容、感覺、心緒、感情、言談、德性、舉動、行事、經歷這幾大項再細分成近一百種分類，共有三千一百個之多。寫事，以世道、世態、行政、經濟、法治、軍事、教學、變化、結果、異同、活動、風俗禮節、文化藝術等再細分近二十項，共有二千二百六十個。寫物，以天象、地理、景物、物品、時間等再細分二十多項，共有三百三十個。寫事理，以認識、實踐、行事、成敗、因果、世故等，共有六十個。常在各種活動場合看到的題辭，則分成壽慶、婚嫁、生育、居室、哀輓、當選、畢業、比賽、開業等，也多達四百個。

　　這些分類，可以讓孩子們從另外一個角度，來研讀並學習成語。因為這樣的分類，不只是看到四個字的成語，還可以看到很多事理的正反面，以及其後所涵蓋的生活經驗，歷史情節等等。希望我的努力，能帶給他們多一層的思維，更豐富的智識，培養他們優美的談吐藝術與溝通技巧。

這一頁呈現的是我們編製「成語諺語典」的第二版目錄分類。
自分類中，可以查詢各細項下有幾個成語，同時對應到成語典的頁數。
此典分成兩冊，一冊為寫人，另外一冊為寫事、寫物、寫理與常用題辭。

成語教育

生活札記

　　小唐把種苗拿來了，教我要先用鐵鏟鬆土，整地。我這個電腦前面坐久的人，不但鋤頭、鐵鏟分不清楚，連提起鐵鏟都覺得吃力。人家林黛玉還能「手把花鋤出繡簾」，我的體能總比她好得多吧，咬著牙慢慢的一鏟一鏟用力挖，挖起了土塊還得用腳踩碎，好幾次重心不穩差點摔一跤，好不容易把最上層的土壤弄鬆。休息一下回幾封e-mail接兩通電話繼續幹活，覺得肩膀好痛，腿好痠，手也沒力氣……；唉，六坪的園子，整整弄了一天，終於可以播種了。先把做種的山藥切成幾塊，放入孟宗竹筒，插進土裡再蓋上一層土。地瓜與芋頭則平均排列種了幾排。種完一看，地平平的，土黃黃的，好像什麼都沒種下去，毫無一點兒成就感。

　　接下來的二十幾天，天氣乾旱無雨，於是接條長管子，一早一晚澆水。它們不像其他季節的幼苗，種下去看得到碧綠的葉子和每天不一樣的成長。這夏天的菜園，種完了只看到黃黃的、平平的土，誰知道那些苗活了沒有？想對它們說幾句話，都覺得一片空虛。

　　這樣下去怎麼辦呢？心裡不免有點兒著急。有天發現有個優酪乳快要過期，我就用罐子繼續養了幾個，想給我的地瓜朋友們吃吃看。我在一些報導裡讀到過期的奶粉可以當肥料，優酪乳應該也可以吧？這種肥料無需外求就能自己複製，我就這樣一周大概兩次的用優酪乳伺候了兩個月。漸漸的，黃黃平平的土地長出了綠色的葉子，開始有了生機，好像黃毛丫頭十八變，一天天變得漂亮，我對著它們喃喃讚美，它們的葉子也會跟我點頭微笑呢！

　　山藥的藤蔓越來越長，需要竹架子讓它們往上攀爬，竹架支起一個半月後，整個架子都爬滿了葉子，想必地底下也有了纍纍的健康寶寶吧？最漂亮的是芋頭的粉綠葉子，開始有高高低低的層次，很像五線譜上的音符，風一吹來，高低起伏的圓葉子就隨著風搖擺著頭唱起了歌。

　　正當我對這逐漸綠化的場景越看越滿意時，有一天卻來了幾隻黑色的醜小蟲，第二天更多了，差不多長出十倍以上的數量，第三天則是二十倍的數量。他們開始吃植物的葉子，速度快得很，甚至離得很遠的荷花池中的荷花葉片也被他們以奇快的速度啃幾近精光。這批根莖植物的葉子如果被牠們啃光，大概也沒救了！面對這惡行惡狀的蟲蟲危機，我嚇得好像世界末日，不知如何是好！小唐叔叔來看，直說他雞皮疙瘩都出來了，不殺蟲不行。拿甚麼殺呢？我這個不灑農藥的愛心有機園，正面臨了十足的威脅與危機，心裡很慌亂，想著一件我極不願意做又似乎不得不做的事。

　　正巧那時有位不丹來的出家人暫住我們家，他準備去巴西，在等簽證許可之類的手續。他能說的英文有限，我們只能用簡單的字句，比手畫腳或畫圖與他溝通。我也念不清他的名字，就叫他「拉瑪」。

　　拉瑪是位很虔誠的佛教徒，每天打坐唸書做功課，很少出門。但我帶狗出去散步時，總會邀他一起出去走走透透氣。蟲蟲危機的第三天，在路上走著閒聊時，我才知他是一位手藝高超的木匠，可以單獨蓋一棟木造房子。他還說，不丹民風很淳樸，是這世界上少有的不被西化的國度，政府致力於人民的快樂指數不亞於經濟上的努力……。那天我心情很不好，回程的路上對他說：「明天我要做一件

我的地瓜

我年輕時去過一家餐廳名為「半畝園」，如今想起那三個字，倒很像時下許多朋友的夢想。他們大多上了年紀，已退休或準備退休，年少奮鬥的日子過去了，孩子逐漸長大，做父母的階段性任務將要完成，內心開始嚮往有個「半畝園」，於是結伴去郊區租塊地，周末就一起去種菜拔草澆水，交換經驗和成果。這種透過種植體驗自然的生活，也漸漸變成都會居民的流行時尚。我很嚮往他們的生活哲學，也很喜歡跟農夫聊聊天，看他們有紀律的工作。

看著我們孩子長大的鄰居小唐叔叔，是一位從來不需買菜的人，他說自己種的東西，看得到，吃得安心。我問他：「那你總有沒有收成的日子呀？」他理直氣壯的說：「那就吃醃的呀！冷凍的呀！妳不是也要休息嗎？土地也要給人家休息呀！」他舉例說，夏天種些地瓜葉、紅菜等葉菜和根莖類，到了十一月採收地瓜，放著吃到明年一月，山藥可到二月十五，芋頭則於過年前後採收；薑還可以更久些。整個夏天忙著種，然後陸續收成，儲存，秋冬就有東西吃。那地瓜放著不會發芽嗎？他說：「當然會，拔呀！」不會有老鼠吃嗎？他說：「以前的人不也這樣嗎？這些東西的保存，只要不要讓它一下子熱一下子冷，我們比以前的人會保存呀！」

他每天必定五點四十五分起床，先到菜園子巡視一番，活動活動筋骨，拔拔草，再摘點葉菜回家。由於吃的清淡，定時活動，身體保養得很好；對於吃大魚大肉卻要繳月費去健身房吹冷氣，在電動跑步機上運動的人，他總是嗤之以鼻的。

五月十日，小唐叔叔打電話給我，說他要去士林農會買五十七號的黃肉地瓜苗，六十六號紅肉地瓜苗，以及專長地瓜葉的葉菜蕃薯，問我要不要？我才結束春天的酒盆種植，夏天要開始學著種根莖類，但根莖類一定要種在土地上，我家可種植的地只有六坪左右。於是我向小唐叔叔要了地瓜苗、山藥、芋頭、地瓜葉、紅菜、香椿等。台灣的農會功能很多元，尤其是都市的農會，不但在郊外規劃許多「半畝園」讓忙碌碌半生的人圓夢，還提供各種苗栽和種植資訊給耕種的人。小唐叔叔自己買了四百藤的五十七號黃肉地瓜。六十六號紅肉地瓜苗被捷足先登者搶購一空，我們都沒有種。

種苗還沒拿到家，我首先就為種山藥發起愁來。以前帶狗出去散步，常看到一些菜園地上堆了很多剖開的塑膠管，聽說那是種完山藥丟棄的，因為山藥會長得很長，如果不放在塑膠管裡種下去，成熟後很容易挖破或挖斷。我這小園子是一個純然有機的實驗，「塑膠」兩個字可是化學符號啊，必須想辦法讓我的園子免除那個化學污染。啊，想起來了，我做燈籠時的孟宗竹筒，形狀和塑膠管相近，不就是最好的替代品嗎？於是很興奮的打電話去南投，請朋友再寄一些來，我要來推廣這個無毒無化學符號，而且長大也可能一節一節形狀獨特的「竹節山藥」！

我的
夏天菜園

的，鼻子不斷聞到那誘人的甜香，真是好溫馨的記憶。我父親生前很喜歡吃烤地瓜，後來我去上他的墳，習慣帶幾個烤地瓜，持香祭拜時，總依稀看到父親邊吹著熱氣邊吃一口的滿足神情。

　　有一個說法是地瓜若與蘋果一起存放，比較不容易長芽，地瓜上的綠皮與芽含有生物鹼，多吃了是會中毒的。地瓜切開後泡水，煮的時候加點醋可以防止變黑。地瓜除了煮和烤，油炸也另有風味。大多是地瓜切片，沾一層混合雞蛋打成的麵糊，炸至黃金色即起鍋，是誰都愛吃的甜點。我有一道地瓜的新穎吃法，是切成細條過油炸一下，瀝乾油後灑上一點點鹽與酸梅粉；地瓜與梅子的香氣結合，真有說不出的好滋味！

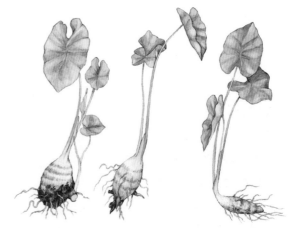

芋頭用醋清洗，以免在削皮時會讓手刺激起癢的感覺。要煮以前可以先搓點鹽再煮，可以增加滑嫩的感覺。

我最不喜歡的事情，我必須殺蟲了！」

然而拉瑪問清狀況後用手比畫著叫我先不要進行，給他一天的時間，他幫我想想辦法！次日放狗前，他要我拿出塑膠袋和掃把，意思是要把那些蟲蟲掃到袋子裡。想到碰那些蟲子的感覺挺噁心的，但我也只好照他的話去做。而且荷花葉上的那些沒法掃，我先戴上手套走入池子裡，一隻一隻的抓入塑膠袋。拉瑪看我那厭惡的表情大概很覺同情，二話不說就幫我掃過了小菜園，最後把蟲蟲集中到塑膠袋裡。我心想，怎麼可能掃得乾淨呢？一定會有很多漏網的，何況牠們是以倍數成長著！

然後拉瑪問我今天可否走遠一點，他要到深山去放掉這些蟲蟲。我們於是走了四十分鐘，一路上他嘴巴咕咕噥噥的不知道在唸些甚麼。走到一個很遠很深的山間，他打開塑膠袋，又咕咕噥噥的唸了幾句，把所有蟲蟲放生出去，小心惜物的摺好那隻我不想再碰的塑膠袋，我們再原路走回家。路上他跟我說，我們殺蟲，殺不完的，牠們還會回來的。

神奇的是，第二天一早我跑到園子看，蟲子只剩下兩三隻，第三天更是奇蹟，一隻也不見了！小唐叔叔來看，不敢相信的問我用了什麼方法？我一五一十告訴他，他睜大眼睛說：「我種了幾十年的菜，沒看過這種黑蟲，也沒聽過這種驅蟲方法！」

我只能告訴小唐叔叔，因為語言的侷限，我沒辦法從拉瑪那裡問出他到底咕噥了什麼？是蟲蟲國的語言嗎？何況他已去了巴西，以後也沒機會問了！但是人外有人，天外有天，我們以為自己知道了所有的語言或應付事情的辦法，其實很多事情不是現有的語言、詞彙、數字可以說得清楚或證明的。我只記得拉瑪說過這句話：「我們殺蟲，殺不完的！」

地瓜種下去六個月可以採收，一般農人為了增加產量會施肥、灑農藥去蟲，一藤的收穫可達一點五台斤。算來我今年地瓜的收成是一般農人的百分之四十七，這數據大概也是有機農業的產值。我收成的五十七號地瓜有四十多個，每個都好可愛，淡黃的表皮有點白，金黃的肉纖維細緻，連皮一起吃，口感密實而清甜，小唐叔叔那從不誇人的鐵嘴，居然給了我極高的評價。我們兩家步行僅約十分鐘的距離，他收成的四百藤地瓜，沒有一個不被蟲咬的，他很不服氣為何我的一個也沒有遭蟲咬，口感又這麼好。這是我第一次種地瓜，也不知道到底有多好，但我相信，每一樣小小的用心，譬如定時的給水、優酪乳養分、不用化學肥料、拉瑪跟這小片土地上的蟲蟲對話等，都可能為我的地瓜加分。

地瓜是早年很多貧窮人家的主食。為了可以長年保存食用，他們會把地瓜刨成絲，曬乾做成地瓜籤。地瓜的營養價值極高，纖維質豐富，近年已成為防癌的健康食品，很多醫生都鼓勵病人早餐時以地瓜配蔬菜與水果。很多實例也都證明地瓜可以醫好頑固的過敏體質或宿疾。我很愛喝地瓜湯，是一種厚重的甘甜。地瓜稀飯也是很親切的搭配。早年街上有人推著板車賣烤地瓜，車上一個大窯，裡面有溫度持續的炭火，甜分足的地瓜還會烤出黑黑的糖汁痕跡。推車的小販邊走邊搖竹片做的筒子，發出一種我們一聽就知道烤地瓜來了的聲音。秋冬時節冷冷的，小販戴著棉布手套，伸入窯內拿出烤好的地瓜，撕一截報紙一包，我們拿到手上熱烘烘

調味料　朝天椒　Capsicum Conoides

調味料　七星椒　Seven Stars Pepper

調味料　二斤條　Dried Red Pepper

漢源紅椒　Han-Yuan Red Pepper

Dried Red Pepper

調味料　二斤椒粉　Crushed Red Pepper

花椒　Chinese Red Pepper

Fresh Green Pepper

調味料　香脆椒　Crispy Pepper

Pepper

調味料　青花椒　Green Pepper

調味料　七星椒細粉　Crushed Red Pepper

paprika

潮州紅糖　Chao-Zhou Brown Sugar

調味料　朝天椒粉　Crushed Capsicum Conoides

調味料　胡椒粉　Pepper Powder

胡椒　Pepper

蔥薑蒜韭類 大蒜 Garlic

蔥薑蒜韭類 大蒜 Garlic

蔥薑蒜韭類 黑蒜頭 Black Garlic

蔥薑蒜韭類 薑 Ginger

蔥薑蒜韭類 黑蒜米 Black Garlic

蔥薑蒜韭類 油蔥頭 Oil Onion

蔥薑蒜韭類 醃薑 Salted Ginger

蔥薑蒜韭類 紅蔥頭 Red Onion

調味料 二號砂糖 No.2 Sugar

調味料 台灣海鹽 Taiwan Sea Salt

調味料 黃冰糖 Yellow Rock Sugar

調味料 山葵胡椒鹽 Wasabi Pepper Salt

調味料 廣東冰糖 Guang-Dong Crystal Sugar

調味料 糖瓜 Sugar Melon

調味料 (正)片糖 Brown Rock Sugar

3

我的
廚房

生活札記

中藥食療類　碧波 Pi-bo

中藥草類　紫草 Chinese Gromwell

木耳香菇類　雲耳 Cloud Ear Fungus

Clove

中藥食療類　枸杞 Lycium Chinensis

木耳香菇類　黑木耳 Black Fungus

木耳香菇類　雪耳 Wild White Fungus

木耳香菇類　白木耳 White Fungus

冬蟲夏草 Chinese Caterpillar Fungus

麵筋 Gluten

雪蛤膏 Lappa

厚花菇 Thick Mushroom

豆類麵筋類　豆皮捲 Yuba Volume

木耳香菇類　水花菇 Small Mushroom

中藥食療類　肉桂 Cinnamon

中藥食療類　杭菊 Chrysanthemums

食療類　沼餅丸 Yeast

中藥食療類　梅菜乾 Salt-Dried Mustard

中藥食療類　香椿 Toona Sinesis

中藥食療類　山楂餅 Hawthorn Cake

香料類　豆蔻粉　Nutmeg Powder

香料類　海苔粉　Sea Leaves

木耳香菇類　青川木耳　Ging-Chuan Fungus

中藥食療類　茶葉　Tea Leaves

八角　Illicium Verum

香料類　小茴香　Cumin

中藥食療類　The Role of Yeast

香料類

乾貨與粉料——廚房之寶

　　著名的香港鏞記酒家老闆甘穗煇，回憶當年學藝的經過時，說他的老師傅有著傳統中國人「教識徒弟無師父」的戒心，所以他只得走「偷師」之路。其中一個重要的項目，就是調味料多寡的學習。所有的食物之美味，除了食材本身具有的味道外，就是靠不同的調味料予以強化或變化後所產生的味覺。甘老闆說，他每晚趁師傅不在時，逐一秤量所有的調味料，第二天再記載師傅怎樣使用那些調味料，當晚再秤量剩下的調味料，大概得出醃製燒臘菜餚最難的調味料份量，然後自己一再的練習調整，一步一步走到今天這塊金字招牌的地位。可見得調味料看似每個人都會用，其中的學問卻是學不完的。

　　我們老祖宗代代相傳的乾貨品類，除了增加味覺，也有很多是因著惜物與節儉的美德，可惜的是，這些乾貨的製造與應用，現代年輕人大多不太知道了；而這些確實是需要承傳與保存的。縱使現代人比較講究健康的飲食觀，但好吃的味道，節儉的美德與健康，應是可以共存並進的。

　　從石磨發明以來，我們便有不一樣的粉類產品，但早年沒有電器設備的時代，製粉業的確是一件極為辛苦的工作。台南有一家百年歷史的磨粉店，現在已經傳到第四代，他們最早是以大型石磨等器具，靠人力將米磨成粉，因為產量供不應求，每天必須二十四小時營業，購買的人則挑著擔子在他家門口排隊，甚至熬夜等待。他們的牆上貼著四句醒世的句子：「挑擔待料宿店飴，漏夜爐火烘米急，榮記老舖香四代，糕點傳承賴此勤。」

　　我覺得，只有懂得享受美食與勤奮的民族，才會有發達的粉類食物藝術。近年來，食品研究單位以科學的手法分析很多健康的食粉類，都是可以讓食物更具營養或是成型上有獨到之處，種類也很廣泛。

粉長的都一樣，顏色也類似，不好分辨，用錯了影響很大。我將日常使用的粉料，整理出九個分類，分別是：1.米類；2.麥類；3.根莖藕類；4.堅果玉米豆類；5.膨脹發粉類；6.平衡酸鹼類；7.結凍類；8.混合類；9.其他類。

我將日常使用的乾貨與乾料，整理出十五個分類，分別是：1.蔥薑蒜韭類；2.調味料；3.香料類；4.中藥食療類；5.木耳香菇類；6.豆類麵筋類；7.酥鬆類；8.五穀雜糧類；9.乾麵粉絲類；10.乾瓜豆果根類；11.乾醃菜鹹菜蘿蔔類；12.乾動物海產類；13.堅果類；14.甜品類；15.粉類。

其他的醬類、風乾醃製品，則將分述於秋天的單元。中國食物的多樣特性，從味覺、成型到視覺上的美觀、搭配的添加料等等，看起來是小小的學問，卻是研究不完的，累積下來就是整個烹飪藝術的重點。讓我們一起向我們的前輩、我們的歷史承傳勤奮的品德與美食的藝術致敬。

乾瓜豆果根類 　　　　水 Cowpea

乾瓜豆果根類 　干飄瓜　Dry Floating Melon

乾瓜豆果根類 　　　　Dry Cucumber

乾瓜豆果根類 　蓮子　Lotus Seeds

乾瓜豆果根類 　桂圓　Longan

五穀雜糧類 　　　　Crispy Rice

乾瓜豆果根類 　　三奈　San-nai

乾瓜豆果根類 　白扣　Bai-kou

乾瓜豆果根類

黑芝麻　Black Sesame

堅果類 　芝麻　Sesame

堅果類 　　　　Black Sesame

堅果類 　栗子乾　Dried Chestnuts

栗子　Chestnuts

堅果類 　麻辣花生　Spicy Peanuts

花米　Peanuts

乾動物海產類 　小魚乾　Dried Fish

小魚乾　Dried Fish

乾動物海產類 　豬皮　Pig

乾動物海產類 　　　　Dried Mussel

乾動物海產類 　柴魚　Dry Bonito

乾動物海產類 　蝦米　Dried Shrimp

乾動物海產類 　干貝　Scallop

乾瓜豆果根類 土肉桂 Cinnamon Soil

乾瓜豆果根類 杏仁 Almond Flakes

蠔豉 Oyster Bean

乾瓜豆果

乾瓜豆果根類 紅棗 Chinese Red Date

五穀雜糧類 藥香 Sweet Scent of Wheat

五穀雜糧類 胚芽米 Milled Rice with Embryo

五穀雜糧類

乾麵粉絲類 粉絲 Silk Noodles

五穀雜糧類 紅麴米 Red Yeast Rice

米 Rice

梅乾菜 Salt-Dried Mustard

乾醃菜鹹菜蘿蔔類

米粉 Rice Noodles

乾麵粉絲類

紅麴 Red Yeast

五穀雜糧類 薏仁 Job's Tears

乾醃菜鹹菜蘿蔔類 鹹菜 Pickled Vegetables

乾瓜豆果根類 砂仁 Amomum Fruit

乾瓜豆果根類 多香 Allspice

乾瓜豆果根類 草果 Grass Fruit

紅蘿蔔乾 Dried Carrot

乾醃菜鹹菜蘿蔔類

乾醃菜鹹菜蘿蔔類 蘿蔔乾 Dried Turnip

乾瓜豆果根類 老蔻 Lao-kou

粉類 小麥胚芽粉 Wheat Germ Flour

粉類 五香粉 Five-spice Powder

粉類 太白粉 Potato Flour

粉類 綠豆粉 Mung Bean Flour

粉類 綠茶粉 Green Tea Powder

粉類 樹薯粉 Wheat Starch

粉類 玉米粉 Starch

粉類 蒟蒻粉 Konjac Jelly Flour

粉類 葛根粉 Pueraria Powder

粉類 鹼粉 Sodium Carbonate

粉類 樹薯粉 Cassava Meal

粉類 番薯粉 Sweet Potato Powder

粉類 黃豆粉 Soybean Meal

粉類 糯米粉 Glutinous Rice Flour

粉類 糙米麩粉 Brown Rice Flour

粉類 蕎麥粉 Buckwheat Flour

粉類 米漿粉 Rice Milk Powder

粉類 啤酒酵母米粉 Beer Yeast powder

粉類 香茅粉 Lemongrass Powder

粉類 沙薑粉 Sand Ginger

粉類 馬蹄粉 Water Chestnut Flour

粉類 亞麻籽口感籽粉 Linseed Seed Powder

海產類　海蜇頭　Jellyfish Head

海蜇皮　Salted Jellyfish

乾動物海產類　海帶　Kelp

乾動物海產類　小魚乾　Dried Fish

乾動物海產類　鮑魚　Abalone

類　冰魚　Ice Fish

海帶結　Seaweed Stick

乾動物海產類　海苔　Seaweed

乾動物海產類　蝦米　Dried Shrimp

物海產類

乾動物海產類　干貝　Scallop

類　生花生　Raw Peanuts

堅果類　熟花生　Boiled Peanuts

甜品類　粉圓　Pearl Sago

甜品類　豆酥　Soybean Crumb

蒸肉粉　Flavored Rice Powder

Coconut Milk Powder

甜品類　愛玉子　Jelly-fig

馬來粉　Spicy Powder

夏

冰宴

BOYS CLUB媽媽們：
夏天來囉！
夏天來囉！
八月二十四日
上午九時
宜蘭粉鳥林海邊見
地址在冰棒上
任祥　敬邀

九節茶
Sarcandra glabra

抗癌、活血散瘀、清熱解毒

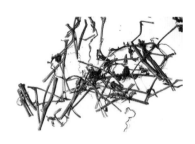

七葉膽
Gynostemma pentaphyllum (Thunb.) Makino

消炎解毒、止咳祛痰

七層塔
Ocimum gratissimum Linn.

治肝炎、消化不良

三腳虎
Desmodium triforum (Linn.) DC.

驅風、解熱、行氣、止痛、溫經、
散寒、解毒

三腳破
Urena procumbens L.

祛風解毒、健脾祛濕、活血化瘀

山葡萄
Vitis amurensis

補腎明目、祛風解毒、補血活血、
舒筋壯骨、涼肝降熱

木棉花
Gossampinus malobarica (DC.) Merr.

清心熱、肝熱、肺熱

王不留行
Vaccaria segetalis (Neck.) Garcke

活血通筋、下乳消腫

牛奶埔
Ficus erecta Thunb. var. King

健脾益氣、行血活血、強筋壯骨

白龍船
Clerodendrum paniculatum L. forma
albiflorum (Hemsl.) Hsieh

固腎、調經、理氣、祛風

白謝榴
Punica granatum Linn.

(根) 祛風濕、殺蟲　(花) 止血、澀腸、止帶

白鶴靈芝
Rhinacanthus communis Nees

肺止咳、平肝降火、消腫解毒

益母草
Leonurus japonicus Houtt.

活血調經、利尿消腫、收縮子宮

一枝香
Vernonia cinerea (L.) Less.

祛風熱、平肝火、散氣滯、降痰火、
定驚風、消炎解毒

九尾草
Uraria crinita

開脾、降胃火、止咳潤喉

山割菜
Rorippa indica (L.) Hieron

清熱利尿、感冒、咳嗽

山菊
Farfugium japonicum (L.) Kitamura

清熱解毒、活血止血、散結消腫

山楊桃
Abelmoschus moschatus (Linn.) Medicus

清熱解毒、消腫止痛

雙面刺
Zanthoxylum nitidum (Roxb.) DC.

消腫解毒、活血止痛、跌打損傷、
腸胃潰瘍

毛草根
Gerbera piloselloides Cass.

頭痛、風濕、腹瀉

水莖
Saururuschinensis (Lour.) Baill.

消腫活血、止痛、解毒

白花草
Leucas mollissima Wall. var. chinensis Bentham

清熱、解毒、消炎、涼肺、止痢

白索
Sida acuta Burme f.

感冒、發炎、腫毒、跌打損傷、外傷出血

白粗糠
Callicarpa formosana Rolfe

補腎、祛瘀、止血、消炎

養身

山芙蓉
Hibiscus mutabilis L.

清肺涼血、消腫排膿

小金英
Ixeris chinensis (Thunb.) Nakai

收斂、消炎、調經

大風草
Blumea balsamifera DC.

感冒、風濕性關節炎、痛經、瘡癤
癰腫

水丁香
Ludwigia octovalvis (Jacq.) Raven

消炎、利尿、解熱、降壓、涼血、消腫

日日春
Vinca rosea L.

止痛、安眠、利尿

化石草
Clerodendrum calamitosum.

降壓、消炎、利尿、化結石

打骨消
Sambucus formosana Nakai

跌打損傷、消腫毒

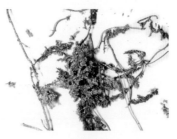

石上柏
Selaginella doederleinii Hicron.

清熱解毒、抗癌、止血

白刺杏
Amaranthus spinosus L.

痢疾、腸炎、胃腸潰瘍

肝炎草
Tridax procumbens Linn.

清熱、解毒、利濕、消腫

見笑草
Mimosa pudica Linn.

清熱、利尿、解毒、化痰

刺仔根
Mimosa farnesiana Linn.

收斂、止血、止咳

九層塔
Ocimum basilicum L.

破瘀生新、調中消食、消水行血、祛風

川七
Anredera cordifilia Moq.

散血定痛

千里光
Senecio scandens

清熱、解毒、殺蟲、明目

五斤草
Plantago asiatica L.

利尿、鎮咳、止血

五爪金英
Mirasolia diversifolia Hemsl.

清熱解毒、消腫止痛、抗癌

六角英
Hypoestes purpurea R. Brown

解熱消炎

仙草
Mesona chinensis Benth.

中暑、急性風濕性關節炎、高血壓、
中暑、感冒

半枝蓮
Scutellaria rivularis Benth.

清熱解毒、活血祛瘀、止血止痛、
利尿消腫、抗癌

半邊蓮
Lobelia chinensis Lour.

涼血解毒、利尿消腫、清熱解毒

羊母奶
Chamaesyce hirta (L.) Millsp.

解毒收斂、止咳止癢、祛風止痛、鎮靜止血

艾草頭
Artemisia indica Willd.

健胃整腸、行氣活血、痛經

含殼草
Viola formosana Hayata

清熱、解毒、祛風、活血、通經

中國醫學典籍繁備，最早的《黃帝內經》之〈素問〉中，關於四氣調神論，強調「聖人不治已病治未病」。我認為此句所指的聖人並非宗教高僧或學術大儒，而是指遵從生命法則，懂得因應四季的飲食保健防患未然的生活大家。中國人對待生病的態度是三分治療七分養，去醫院看病吃完藥，才是養病的開始。食療保健，講求的是五味均衡，並強調其功能為：甘入脾，酸入肝，苦入心，辣入肺，鹹入腎。如果平日飲用的食物達到五味調和，身體當然比較健康。

中醫理論認為，人會生病的一大原因來自內七情與外六氣。內七情指喜、怒、憂、思、悲、恐、驚；外六氣指風、寒、暑、濕、燥、火。所以內在情緒的控制，EQ與修心養性是很重要的。因應各種氣入侵體內，合宜的穿衣也很重要，我發現很多人對衣著的概念只注重美觀，對於自己所處在地的外六氣沒有仔細思量過，二十四節氣預告了四季變化，溫度變化，天氣現象，物候現象，這些都跟中醫所謂的外六氣息息相關。《黃帝內經》記載「風者，百病之始也」，所以我們有風邪、中風、風寒等字眼，我們當仔細感受天候以為因應。

要懂得找出自己是屬於那一種體質，比如：燥熱，虛寒，乾燥，痰濕，或是外燥內寒，外寒內燥，或是中性體質、酸鹼性體質等等，來調整飲食。如熱溫涼的四氣，辛甘酸鹹苦的五味，不同的食材與搭配，可能都有著發散、行血、補益、和中、收斂、固澀、通便、散結、消痰、瀉火、化濕、解毒等的功用。我由衷的相信，均衡清淡的飲食最重要，此外順應節氣與「一方水土養一方人」的概念也該列入自身營養的範圍，思考所處的環境，了解前輩的生活智慧，是該花時間學習且傳承的。

中醫養生本著天人相應，順應自然的準則，講求對應四季的變化。關於這一點，《飲膳正要》一書，其中的食用準則如下：春氣溫，宜食麥以涼之；夏氣熱，宜食菽（綠豆）以寒之；秋氣燥，宜食麻以潤之；冬氣寒，宜食黍（玉米）以熱之。

與我們有兩代世交的朱士宗大夫總告誡我藥補不如食補，比如**補腦**：芝麻、杏仁、松子仁、黑木耳、核桃、鮮橄欖、開心果、金針花、綠菜花、瓜子、白果；**補氣**：糯米、紅薯、香菇、山藥、栗子、紅棗、梗米；**補血**：胡蘿蔔、龍眼、槐花、菠菜、黑木耳、蓮藕、豬血、豬肝、蘋果；**保肺**：百合、薏仁、麥芽、茯菇、蓮子、黑木耳、山藥、芡實、梨；**補腎**：韭菜、山藥、栗子、鱸魚、何首烏；**健胃整腸**：蔥、適量臭豆腐、熟蘋果、蓮藕、蓮子、泡菜、黑木耳；**強肝**：地瓜葉、荔枝、烏梅、豬血、何首烏；**強筋骨**：三七、羊腿；**養眼**：魚眼、枸杞、菊花、桑葚、鮑魚、看美的人或動物、登高望遠；**降膽固醇**：筍乾、梅乾菜、熟蘋果、酸菜、洋蔥、瓜子、大蒜、梅子、酸梅湯、山楂、韭菜、醋、普洱茶；**抗腫瘤**：海參、海蜇、荸薺、芋頭、茄子、冬蟲夏草、筍、紅棗、鯽魚、薏仁；**含鈣**：雞蛋殼、小魚、蝦殼、排骨、軟骨、芝麻、紫菜、真珠粉、黑醋；**去油**：葵瓜子、梅乾菜、山楂、普洱茶、筍；**富膠質**：銀耳、燕窩、雞腳、蹄筋、豬腳、魚頭、魚肚、花膠；**清暑**：綠豆芽、冬瓜、西瓜皮、酸梅湯。

配合四季的飲品，**春天**以西洋參、黃耆、麥冬、袋裝打碎後的五味子、紅棗等浸泡燉煮即成。**夏天**以金線連、烏梅、麥冬、甘草、紅棗用開水沖泡，可加入蜂蜜一起飲用；桂花酸梅湯以烏梅、桂花、仙楂、廣陳皮、甘草煮湯喝。**秋天**為東洋參、茯苓、白术、甘草、紅

棗、老薑浸泡燉煮。**冬天**為炙黃耆、粉光參、枸杞子、玉竹、紅棗等入袋，浸泡燉煮即成。

給不同年齡與男女的食補，男人最好的食補為**四君子湯**：人參、白朮、茯苓、甘草（可加生薑、紅棗）；女人為**四物湯**：當歸、生地黃、芍藥、芎藭；老人為**補中益氣湯**：人參、黃耆、甘草、炒白朮、陳皮、當歸、生麻、柴胡、生薑、紅棗；小孩為**參苓白朮散**：人參、白朮、茯苓、甘草、山藥、扁豆、薏仁、蓮肉、陳皮、砂仁、桔梗。

藥膳也是中國人很重視且擅長的，經過前人對食材屬性的了解，加上增加免疫功能與滋養的藥材。譬如**金華白玉花膠湯**：以金華火腿，冬瓜，花膠與土雞肉、豬腿肉熬湯；**花膠煲淮山杞子湯**：以雞、花膠、淮山、杞子、紅棗、桂圓肉熬湯。**藥燉排骨**：以紅棗、碎補、熟地、玉蝴蝶、桂枝、枸杞、當歸、川芎、黃耆熬排骨。**皇帝雞**：以人參、枸杞、當歸、黨參、川芎、黃耆、甘草燉雞。**肉骨茶**：以當歸、玉竹、八角、桂皮、白朮、甘草、熟地、黨參、茯苓、川芎熬肉骨。**燒酒雞（蝦）**：川芎、當歸、黃耆、枸杞、紅棗、玉蝴蝶、桂枝燒雞或蝦。**四神湯**：薏仁、淮山、茯苓、蓮子、芡實熬豬大腸。**羊肉爐**：當歸、桂枝、熟地、碎補、黃耆、玉蝴蝶、枸杞、紅棗、川芎等燉羊肉。

我從小被長輩教導要知道食物的熱性或寒性，酸性或鹼性，我也不知道其來源自何處，科學的數據在那兒，承傳已久，各家說法少許有些出入，但大致分類如下提供參考：

平性食物：洋蔥、白果、百合、蓮子、黑芝麻、黑木耳、白木耳、花椰菜、扁豆、花生、黑豆、紅豆、黃豆、芋頭、紅蘿蔔、香椿、葡萄、蜂蜜。**涼性食物**：西瓜、香蕉、甘蔗、蘋果、梨、柿子、白蘿蔔、荸薺、菱角、蕃茄、黃瓜、苦瓜、冬瓜、絲瓜、蓮藕、竹筍、馬齒莧、芹菜、海藻、海帶、螃蟹。**熱性食物**：韭菜、生薑、蔥、大蒜、栗子、棗子、核桃、南瓜、荔枝、龍眼、杏子、石榴。**陽性食物**：高麗菜、紅辣椒、紅茄、嫩薑、紅蘿蔔、紅豆、蔥、洋蔥、紅棗、九層塔、大黃瓜、茄子、綠花椰菜、紅菜、黃花芥藍菜、老薑、花生、蕎麥芽、韭菜、韭菜花、豆芽菜、白花椰菜、蘆筍、海帶、綠豆、花豆、綠藻、枸杞、檸檬、奇異果、蓮霧、柳丁、芭樂、紅蘋果、香蕉、紅糖、紅茶、烏醋、橄欖油、豆腐。**陰性食物**：苦瓜、薏仁、蓮子、木耳、香菇、蓮藕、白蘿蔔、松茸、香菇、莧菜、茭白筍、南瓜、菠菜、芹菜、地瓜、冬瓜、小玉西瓜、木瓜、楊桃、土芒果。

涼熱性食物、陰陽性食物則要配合季節與個人體質，不可過量。

健康的食材：燕麥、糙米、洋蔥、地瓜、山藥、南瓜、酪梨、蘋果、薑、大蒜、芝麻、紅麴、枸杞、黃豆、綠豆、木耳、香菇、花椰菜、蘆筍、苦瓜、胡蘿蔔、菠菜、海藻類、鮭魚。咖哩的「薑黃素」、辣椒的「辣椒素」、薑的「薑油」、綠茶的「兒茶素」、大豆的「異黃酮」、蕃茄的「茄紅素」、葡萄的「白黎蘆醇」、大蒜、花椰菜的「硫化物」。以上這些只要適當搭配，結合當令與在地的原則，相信可以吃出一個健康的人生。中醫也強調「少吃一口，舒坦一宿」，暴飲暴食會造成身體負荷，少量多餐才是正確的養生之道。

中國各地也有屬於自己的植物藥療偏方，特性是比較溫和。台灣溫熱潮濕，傳統養身會用在地的草藥。我們如果去登山或郊外踏青，常會在路邊發現各種草藥，但因不明藥性，有人採回家服用也許會中毒。所以，除非自己非常了解藥性，最好不要自行搭配服用。

芙蓉頭
crossostephium chinense (L.) Makino

祛風、除濕、解熱、止咳、化痰、解毒、消腫

金針根
Hemerocallis fulva linn.Kwanso Regel

清熱利濕、涼血止血、消腫利尿、消炎
解毒、止痛

雨傘子
Ardisia cornudentata Mez.

風濕麻痺、花柳病、跌打、癌症、蛇咬傷

珠仔草
futabamugura

消炎解毒、止血涼血、涼肺、收斂

秤飯藤
Polygonum chinense L

清熱利濕、涼血解毒、泄瀉、風熱咽痛、
虛弱頭昏、婦女白帶、黃疸、癰腫濕瘡

臭茉莉
Clerodendrum fragrans

疏風清熱、清肝明目、風熱感冒、
肺熱咳嗽

鳥踏刺
Zanthoxylum nitidum (R) DC.

祛風除濕、散瘀活血、麻醉止痛、
解毒消腫、抗腫瘤

紫蘇
Perilla frutescens (L.) Britt.

發汗解表、行氣寬中

黑血藤
MucunamacrcocarpaWall.
[M.castaneaMerr.；M.wangiiHu]

補血活血、清肺潤燥、通經活絡

鼠尾廣
Justicia procumbens Linn.

清熱解毒、利尿消腫、活血消瘀、
止痛、止咳嗽

鳳尾草
Pteris multifida Poir.

清熱解毒、利濕涼血、治痢止瀉、強筋活
絡、消炎、降血壓、退燒

橄欖根
Canarium album Raeusch.

健胃、固脾、止痛、收斂、消炎、
祛痰、解酒

刺柑
Solanum indicum L

扁桃腺炎、咽喉炎、淋巴結炎

抹草
Desmodium caudatum (Thunb.) DC

清熱、解毒、祛風、利濕、殺蟲

武也藤
Gymnema sylvestre (Retz.) Schult

清熱涼血、排膿消腫、止痛生肌

香圓
Citrus medica Linn. var. sarcodactylis (Noot.) Swingle

(果)疏肝理氣、和胃止痛、消食化痰、鎮嘔　(花)
平肝、散瘀　(枝葉)驅風、止痛　(根)順氣、止痛

桃仔根
Rhodomyrtus tomentosa Hassk.

(根)祛風、除濕、止血、止瀉、止痛
(葉)止血、止瀉　(果)止血、固精

消殼草
Ruellia tuberosa

清熱、利尿、消渴、解毒

甜菊
Stevia rebaudiana

糖尿病、肥胖症、神經衰弱、降低
血壓、促進新陳代謝、和胃、避孕

鹿仔樹
Broussonetia papyrifera (L.) Vent

(籽)滋腎、清肝、明目、利尿
(根)清熱、祛瘀　(葉)涼血

麻芝糊
Adenostemma lavenia (L.) Ktze.

涼血、消腫、排膿

萬年松
Selaginella stauntonina Spring

破血、止血、活血、通經、祛痰

萬點金
Ilex asprella (Hook.& Arn.) Champ

清熱、生津、活血、解毒、開胸、固肺

葉下紅
Emilia sonchifolia (L.) DC.

清熱、消炎、利尿、解毒

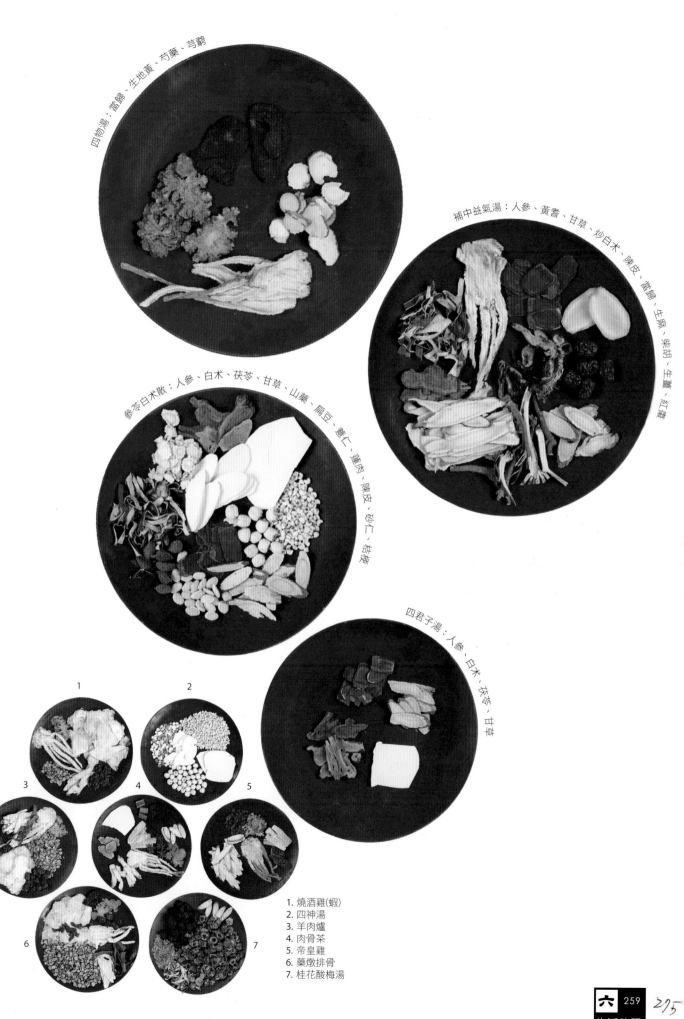

四物湯：當歸、生地黃、芍藥、芎藭

補中益氣湯：人參、黃耆、甘草、炒白术、陳皮、當歸、生麻、柴胡、生薑、紅棗

參苓白术散：人參、白术、茯苓、甘草、山藥、扁豆、薏仁、蓮肉、陳皮、砂仁、桔梗

四君子湯：人參、白术、茯苓、甘草

1. 燒酒雞(蝦)
2. 四神湯
3. 羊肉爐
4. 肉骨茶
5. 帝皇雞
6. 藥燉排骨
7. 桂花酸梅湯

紅根草
Ophinglossum Petiolatum Hook.

止咳祛痰、通經活絡、治血崩、經閉、
風濕痹痛、產後血暈、慢性氣管炎

紅骨蛇
Kadsura japonica (Linn.) Dunal

解熱、止渴、散風、舒筋、鎮痛、涼血、
活血、行血、解毒、消腫

苦那盤
Clerodendrum inerme (L.) Gaertn.

(根莖)清熱解毒、祛風除濕、散瘀活絡、
消腫殺蟲　(葉)去濕、解毒、消腫、止癢

桶交藤
Mallotus 1repandus

祛風除濕、活血通絡、解毒消腫、驅蟲止癢、
跌打損傷、濕疹、頑癬

梅根
Ilex asprella (Hook.& Arn.) Champ

清熱、生津、止渴、活血、開胸、固肺、
解毒

清明草
Gnaphalium pensylvanicum Willdenow

補脾健胃、宣肺平喘、利濕消腫、降血壓

羊帶來
Xanthium sibiricum. Patrin ex Widder

(果) 散風濕、通鼻竅、止痛、殺蟲
(莖葉)祛風、散熱、解毒、殺蟲

腰子草
Orthosiphon aristatus

止瀉利尿、解毒清熱、消腫化瘀、膽結石、
腎結石、降血壓

落石藤
Trachelospermum jasminoides (Lindl.) Lem.

祛風通絡、涼血消腫、風濕熱痹、腰膝痠
痛、喉痹、癰腫

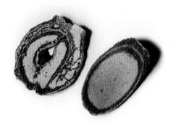

雞血藤
Spatholobus suberectus Dunn

抑菌、抗癌、補血

雞屎藤
Paederia scandens (Lour.) Merr

鎮痛、鎮靜、祛痰

鵝不食
Centipeda minima (L.) A.Br. et Aschers.

慢性鼻炎、頭痛、抗菌、寒痰咳喘

咸豐草
Bidens pilosa L. var. minor (Blume) Sherff

消炎、清肝、解熱清熱、解毒、散瘀、感
冒、咽喉腫痛、黃疸、跌打

染布青
Indigofera suffruticosa Mill.

治腫毒、疥瘡、時氣頭痛、大熱口瘡、熱
毒風、胃痛、消炎止痛、治肝硬化腹水

相思樹
Acacia confusa

行血散瘀、跌打、蛇咬傷

魚腥草
Houttuynia cordata Thunb

清熱解毒、排膿消癰、利尿通淋

馬蹄金
Dichondra erpens Forst

清熱、利尿、活血、消炎、解毒、消腫

接骨銅
Gendarussa vulgaris Nees

跌打損傷、骨折、扭挫傷、風濕性關節
炎、感冒、月經不調

黃花草
Spilanthes callimorpha A. H. Moore

祛風除濕、散瘀止痛 (孕婦忌服)

黑面馬
Piumbago zeylanica Linn.

祛風止痛、散瘀消腫、通經、解毒、
殺蟲 (孕婦忌服)

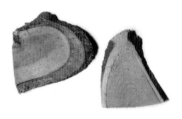

愛玉根
Ficus pumila L.

風濕痛

鴨舌廣
Phyla nodiflora (L.) Greene

調經、清熱、解毒

薄荷
Mentha piperita

消炎止癢、去腥防腐

雞母珠
Abrus precatorius L.

排膿催吐、拔毒消腫、殺蟲、治癬疥

家計

現代人的生活大多很忙，一清早父母去上班，孩子去上學，黃昏時刻，孩子放學也許還要在學校打球，回到家也得做一堆功課，父母下了班也許要去應酬或買菜、購物等等。總之，為了應付最基本的生活步調，每個人可以留給家人的時間都很少，許多家庭因而有溝通不良的問題。家庭是我們的生命核心，家人如果溝通不良，生活就難以和諧，所以仁喜與我格外重視這件事情。

常言說「冰凍三尺非一日之寒」，這句話可以涵蓋很多生活層面。如果用於形容家庭關係，我認為冰凍的原因就是缺少溝通。我特別覺得夫妻間、親子間必須安排一些特別的時間，聚在一起說說話，交換一些生活看法，如此不但能凝聚情感，彼此如有誤會也能煙消雲散。

仔細想想，我們一生能夠跟親愛的人好好溝通的時間，是不是被電視電腦占據了？是不是缺乏安靜的環境坐下來談談天？或是根本沒有養成溝通的習慣，也沒有規畫一個溝通的時段？溝通的方式是不是有效？現在的人很容易在電腦上跟不認識的人溝通，談心，為什麼不能跟自己的家人溝通，談心呢？

凡此種種，都是我們必須不斷的面對，思考，實踐，才能一步步找到合適的溝通方法，達到與家人親密相處的效果。

在我的生活經驗中，做父母比做任何一件事情都要難。以前我們沒有孩子的時候，隨時可以去流浪，愛幾點上床，愛吃不吃都隨自己高興，生活沒有什麼規律。但有了孩子後，三餐要定時，生活不能太隨意；既然要教導孩子，自己總得有個規矩。等孩子大了，生活範圍拓展到外面，很多事情的對與錯，行與不行，變成仁喜與我常常要面對的抉擇。有時兩人意見不一，難免也有大小爭執。現在回想，當時只要肯花點時間，坐下來把原理原則講清楚，讓模糊的家規更具體，爭執也就可避免。我們在管理公司，不是也都訂個規矩在先，發生大小事情，總也有個處理的基準。所謂齊家治國平天下，治理家庭和管理公司的道理應該是一樣的吧！

女兒小一時去參加夏令營，老師發了一張脾氣溫度表，她在最冷靜的溫度，也就是她最快樂的溫度狀態旁寫著：「有自己的寵物、當我看到爸爸時」；在最高溫，最不能忍受的溫度旁寫著：「JJ拿我的鉛筆、JJ向媽媽告狀」。於是我也在我們家白板上做一個全家人的溫度表，讓所有人知道自己最不能忍受的事是什麼。我覺得這張表可以增進彼此的了解，具有良好的溝通效果，很值得與大家分享。

家人間的溝通與鼓勵

時間分配表

我把個人時間的運用，分成十大份，每一種做出四個貼紙，自己貼入分配表中，藉此提醒大方向的時間分配，分類為本業、副業、興趣、行善、家人、朋友、自己、運動、整理與其他等，是一種檢查自己的辦法。

本業	本業		
副業	副業		
自己	自己		
興趣	興趣	興趣	
運動	運動	運動	運動
整理	整理	整理	
家人	家人	家人	
朋友	朋友	朋友	
行善	行善	行善	
其他	其他	其他	

日曆

現代社會從小學生開始就很忙碌了，有份日曆，可以把要考試的時間寫上去，重要的生日日期，行程表等寫上去，有助於做規劃。

情緒時鐘

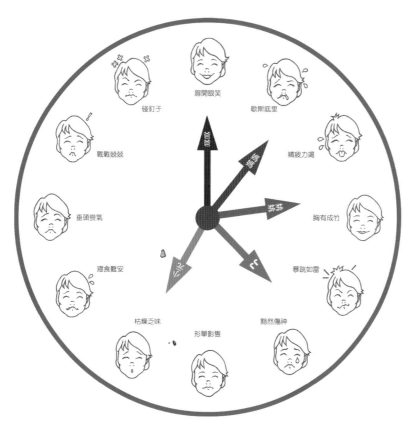

時鐘上的表情文字：碰釘子、眉開眼笑、歇斯底里、戰戰兢兢、精疲力竭、垂頭喪氣、胸有成竹、寢食難安、暴跳如雷、枯燥乏味、形單影隻、黯然傷神

指針文字：爸爸、媽媽、姚姚、你、JR

把自己的情緒指到對應的位置上，可以變成家人間的開場白，幫忙紓解壓力或解開心中的不悅。圖畫「你可以做什麼？」、「你擅長的是什麼？」、「你可以說什麼？」、「誰最喜歡你？」、「你最喜歡誰？」等問題，來探討做人做事的應對進退。在家人相互鼓勵之下，更可變成當自己情緒轉換的當下，想到家人的叮嚀。

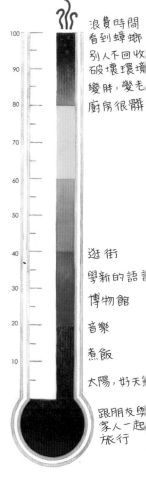

溫度計

溫度計刻度與文字（由上而下）：
100、90、80、70、60、50、40、30、20、10

浪費時間
看到蟑螂
別人不回收
破壞環境
變胖，變老
廚房很髒

逛街
學新的語言
博物館
音樂
煮飯
太陽，好天氣
跟朋友與家人一起旅行

你擅長的是什麼？
你可以做什麼？
你可以說什麼？
你可以做什麼？
誰最喜歡你？

這是一個可以讓自己了解自己，也讓別人了解你的辦法。家長更要花時間教導孩子不能任性只顧及自己的好惡，要懂得分析自己與尊重他人，是自己不喜歡不高興的時候，更要細心處理當下的反應，以免產生不良的後果。這個小道具，更能夠知道不要觸碰別人的不悅之處。

關於情緒的分享，我曾買過一件繪有幽默卡通圖案的T恤，上面寫了這幾個字：「How are you feeling today？」我由此受到啟發，畫了一個時鐘，有十二種情緒，五根針，一根針代表家裡的一個人，每天我們回到家後都會把屬於自己的針指向今天的情緒，以便與家人分享心情，遇到的人或發生的事，是我們家最佳的溝通指南。

我們也會把公司不再用的藍晒紙拿回家，黏成好大一張，有誰過生日就要壽星躺在上面，我們用粗筆描下他的身形，等他起來後讓家裡的每一個人或是朋友在這張大紙上寫下對他的感覺，然後貼在門上，讓壽星知道家人或朋友是怎麼樣看待他的。這也是一個能讓自己了解別人感受的方式，其實也是一種溝通。

我女兒八歲時說要幫我做名片，用一隻螢光筆在很多張黑色的紙上寫我的名字。至於名字上的頭銜，她參考了我的溫度計與體型表，列了以下數種：「討價還價的人、廚師、協助做功課的人、跑步的人、秘書、老師、購物者、插花的人、按摩師、計畫者、電腦怪胎、白日夢的人、愛笑的人、愛哭的人、節食的人、披頭四的愛好者、三個瘋孩子的媽、姚仁喜的太太。」我至今保留著這張名片，因為這些頭銜，的確是我，多年後再看，很高興從遊戲中能讓一個八歲的孩子，清楚她母親的角色。

做父母的另外一項工作，是要做孩子的輔導員，提醒他們前面有一個理想在等待，不要放棄任何一點在孩子心中萌芽的善念與創造力。我則以花盆來代表每一個人埋在心中的想法，畫在牆上，提醒他們或是給與支持，希望能讓萌芽的小苗，長出有成就感的花朵來。而監督孩子們妥善的運用他們的時間，也可以用貼在牆上的分析時間法巧妙的打開家庭間這一項敏感的話題。大牆上還可以有一些屬於全家人要共同面對解決的事項，一個月來的行程表等，這些都可以達到協調與共識的功能。

中國人的傳統家庭教育，永遠是孝道為先，凡事順從父母。這種單向服從的習俗，可能是中國人沒有學會溝通的原因。

但時代在改變，單向服從已不能解決越來越複雜的現實問題，做父母的要開放心胸跟兒女溝通，確實也是一件很不容易的事。兒女的心智尚未成熟，想法一定比較天真，也有從外面學來的觀念，父母如果能夠開放對談的管道，不需要抓的太緊，心平氣和的分享彼此的情緒和想法，對雙方都是必要學習的。

我女兒初三以後，開始有朋友約她去跳舞，也有了異性的朋友。讓我傷腦筋的是，我發現她為了想去跳舞而編造理由騙我。去跳舞與說謊，哪一件比較嚴重？當然是說謊！起初我很生氣，然後也自省，一定是她怕挨罵才會說謊，於是我找她坐下來溝通。妳的身分是什麼？學生！好，那我們來個協議，若妳做一個總平均是B⁺的學生，妳就大方的去跳舞。結果當她交出A的成績單時，我還幫她護貝一張中國人的虛歲年齡證照，讓她可以合法的進入舞場。

孩子大了，遇到的問題和表達的方式也不斷在改變，敏感年齡的時刻，很可能不是朋友就是敵人，我當然選擇做他們的朋友，但也會讓孩子明白，做父母的都會有的擔憂，長久下來，孩子終於了解這對父母是可以交心做朋友的。

我一直提醒自己保持一個最高原則：不要失去跟自己孩子溝通的窗口。譬如孩子小的時候，我就在床頭放三個小杯子，他們有事，可以丟一封字條信進自己那個杯子，這是我們之間培養管道通暢的橋梁。有時候你也會欣慰的發現，他們想說的可能只是一句「我愛你！」礙於生活間有太多的事情在發生，這些表達反而被忽略了。

我們家有一件事做得很對，就是孩子們從小沒電視看。二十多年前搬到山上時，電視網絡不像現在這麼無孔不入，仁喜與我又沒有看電視的習慣，所以就乾脆不裝。這個結果誤打正著，讓我們得到吃飯就是吃飯的喜悅，全家可以藉此分享自己一天的心情，說說學校的事，公司的事，增進彼此的了解，日子過得很安靜，也可以多出時間來看書或做自己喜歡做的事。網際網路影響孩子的專心，於是我們不讓孩子在房間能夠接上網路，只有到客廳才可以接收上網，還曾經有限時上網時段的家規。當即時通變成孩子們重要的社交工具後，我想通了，乾脆讓客廳變成我們的網咖吧！與其讓他們窩在房間裡面，還不如塑造一個光線充足，光明正大，有著個人對外的窗口，卻也不致於把家人拋棄在外的網咖！

我把餐桌邊上的牆面，變成一個全家共用的黑板。有時掛教具，有時掛棋盤，有時寫行程，有時教數學，增加很多談話的題材。當時我做室內設計，常建議客戶保留這麼一片牆，因為這是讓家人獲得共識的佈告欄。

我也喜歡利用走廊的牆面，貼一些跟溝通、鼓勵、教育或美有關的剪報和海報。這麼多年來，從娃娃、火車、恐龍、單字到大學申請表、量子物理……；一路走來，牆上貼的就是他們成長的過程。把家裡的公共空間做成軟木塞牆面，好像以前在學校時做壁報一樣，是方便張貼孩子們的教學知識或成長的參考。

此外，一天中能有半個小時全家圍在一起，安靜的各拿一本書閱讀，這種優質的家庭氣氛，對孩子也是很有助益的。我們稱這是SSR時間，Silent Sustained Reading，安靜自我唸書。在各種電腦與媒體資訊爆發的時代，一家人能安靜的坐在一起看書，這是多麼幸福的事！

想要達成鼓勵與和諧的溝通，尊重與放下身段是重要的技巧，這麼多年來，我由衷的覺得從孩子們身上學到的，並不亞於我教給他們的。生活間點點滴滴的溝通與鼓勵，需要花時間與運用方法去達成，而我也相信，只要持續的經營，一定會有美好的成果的。

人型表

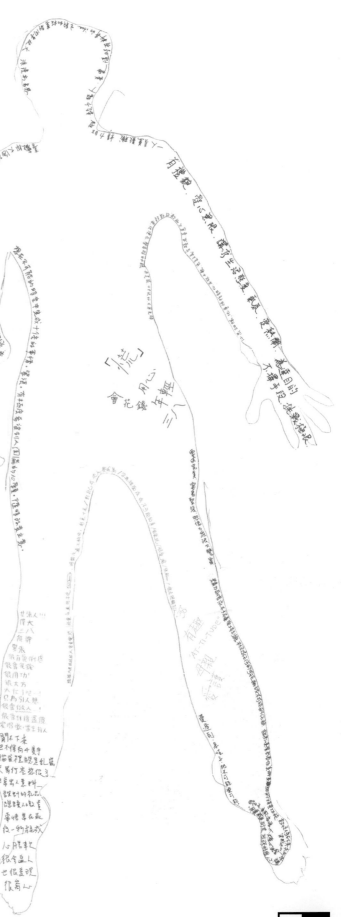

我生日的時候，家人跟朋友要我躺在地上，畫出一個我的外型後，他們寫出了對我的形容，貼在我門上，隨時提醒在別人眼中的自己。這是我某一年的人型表。「善變、隨時有新奇的idea；愛心無限愛熱鬧；為達目的不擇手段、挑戰極限；把事情複雜化、耳根子軟、完美主義實踐者、善惡不明確、同情弱者；「慌」！會花錢、用心、年輕、三八；要求完美、容易緊張、不放過任何的可能；超忙停不下來、不可思議、個人風格強烈；愛遲到、急性子；"38"有趣"AT-TI-TUDE"母親、愛護；頭腦內建超超超大容量電池、對自己與他人要求高、很愛玩、很愛現、巴不得有4隻手、腦袋裡總是亂竄、常出人意料、事情常在最後一秒才完成、很會逼人、也很愛現；三八、能幹、緊張、很有藝術感、很會花錢、很用功、很大方、太忙了吧……！、只為別人想、很會做人……！、很會討價還價、愛唱歌；喜歡用大海撈針的方法做事、不愛運動、好奇心太強、不太會計算、想在不可能的時空中完成十倍的事情、緊張、隨時改變主意；活力充沛、前後搭不起來、神經質」。這真是一張個性體檢表呀！真不好意思，讓我的家人跟朋友們隨著我上上下下的，我得改進喲！

留言區

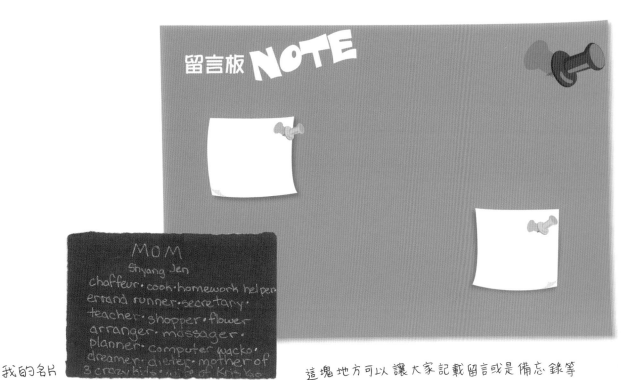

留言板 NOTE

MOM
Shyang Jen
chaffeur·cook·homework helper
errand runner·secretary·
teacher·shopper·flower
arranger·massager·
planner·computer wacko·
dreamer·dieter·mother of
3 crazy kids·wife of Kris Kao

我的名片

這塊地方可以讓大家記載留言或是備忘錄等

珠寶創業

傳家書

修習佛法

YOGA

傳家 ART OF CHINESE LIVING. COM

童書

練字

媽媽

盆花
栽開

　　任何人都有些存在心裡的願望，等待
實現，我把那些願望比喻成花朵，花朵是需
要細心栽培的。家人如果相互知道內心的願
望，更可以相互扶持讓它開花，讓它實現。
讓全家人都互相做對方的教練。

願天常生好人，願人常做好事

謝　剛

「願天常生好人，願人常做好事」，這是南懷瑾大師送給任祥一個篆刻上的字句，説來還是受惠于南懷瑾大師所種的因緣。2010年，我得與姚任祥老師相識。在北京的一個小飯館，我請她吃地道的陝西麵。飯館環境很差，油煙彌漫，人聲噪雜，面對面説話都要靠嚷，任祥全然沒有望族名媛的驕矜，挽起袖子，吃得鬢角流汗，不僅評點麵質的優劣，還請來廚師諮詢麵條的做法。

那時，對任祥的家世已然有所瞭解，我讀過關於顧正秋女士傳記的《休戀逝水》，正讀任祥的夫婿姚仁喜先生翻譯的《正見─佛陀的證悟》，當然，也知道任祥嘔瀝五年心血在做著部大書《傳家》，在小飯館吃麵，也是因為她覺得作為南方人的她對麵食的理解似乎沒有北方人透徹。我很敬佩她這種精益求精追求盡善盡美的執著，實際上，任祥對麵食精髓的掌握絲毫不遜於許多美食家。

雖然心理有所準備，但看到《傳家》實體書時我還是大吃了一驚。我自認為對圖書的印裝流程和材質並不陌生，但如此精緻、講究，工序如此浩繁的圖書還是第一次見。就像是炸醬麵，有黃瓜有醬有肉丁足夠，大街小巷隨處可以吃得，但在宮廷王府，卻要精緻講究到黃醬必須用哪家的，麵醬是哪家的，幾十種菜碼根據不同的時令怎麼搭配等等。任祥的《傳家》就是一部這樣極其精緻講究卻又內斂的書。光印裝工序就幾十道，密密麻麻寫滿了三大頁。

《傳家》內容的精彩和高水準無須贅言。白先勇教授説這是「中國人美的百科全書」，傳承了中國人的生活智慧，一點不為過。我是有幸與《傳家》的臺灣製作團隊見過面的。二十幾個人，都是各界精英，其中不乏臺灣鼎鼎有名的攝影家、美術與編輯、裝幀設計家，各具神通，偏又謙遜而敬業。

我也是親見了書中提到的那棵香楠樹的。百年老樹，樹影婆娑，總讓人勾起兒時的記憶。在中國的許多地方，都有這樣的老樹，樹下奶奶搖著扇子，給睡在涼席上的孩童講著歷史的傳説，文化的傳承和啟蒙其實並不需要刻意，但往往會讓孩子們記憶一生。任祥説，她最喜歡《傳家》的「齊家心語」單元，我也有同感。親情其實是貫穿全書的線，書中每個場景，甚至每個小細節，無不蘊藏著任祥濃郁的愛，不僅是關涉家庭的，也是對所有人的。

與他們夫婦相識日久，越發對這對夫妻充滿著敬重和喜愛，姚先生是國際上享有名望的建築設計師，海內外許多馳名的建築都出自他的手筆，他也是一位極具文化修養的大家，他的關於建築理論和設計的著作是西方許多高校的教材，他翻譯的宗薩蔣揚欽哲仁波切上師的許多著作文筆優美被奉為經典譯本。他又是一位極具善心的人，他會為一隻小狗的受傷而難過；任祥哪裡是她口中的「家庭主婦」，她是大元建築事務所的行政副總，我見識過她工作時的雷厲風行，那是溫婉外表下的幹練和高效率。我能想像他們在工作之餘，在陽明山下的家裡，姚先生在他那偌大的書房裡安靜地看書，任由「賈寶玉」、「妹妹」們在腳下戲耍，而任祥在她那幾間工作室裡穿梭，拿著汽錘、電焊，設計鼓搗她那令人眼花繚亂的「玩意」。這樣一對神仙眷侶，讓人豔羨嫉妒得只能默默祝福了。

南懷瑾大師説，任祥做著「一般人漠不關心，卻與中國人生活最為切要的大事」。這是事實。我略知他們夫婦的一些善舉，也瞭解他們的普愛之心。五年的心血，五年的付出，任祥毫不猶豫把《傳

家》繁體版售書所得全部捐給了法鼓大學。任祥把《傳家》簡體版權交我時説，我不要版税，不要任何回報，只希望把定價控制到讓工薪階層和大學生都買得起的地步，我答應了。對我而言，這不僅僅是一部書的出版，而是一項使命。是一種責任。

我因為工作調整的關係要常駐香港，無法自始至終貫穿《傳家》的所有工作，這對我是遺憾更是損失。斟酌再三，我還是把這套書的編輯出版事宜交給了讀庫團隊，不僅僅因為老六張立憲是我十多年的朋友，而是我知道，他擔得起。在新星的辦公室裡，我講了任祥的故事，我把所有關於《傳家》的資料給老六，説：「只有一個願望，我們莫辜負這對夫妻。」當時，我和老六眼睛都濕潤潤的。

簡體版既要控制定價，還要保持品質，這對於製作團隊當然是挑戰。老六説「我們照貓畫虎也用了將近一年」看似輕鬆，其間的辛苦只有參與者自己明瞭。當然忘不掉當《春》一萬套全印完沒有達到預想效果決定毀版重印時大家失望落寞的神情，也忘不掉《傳家》第一個一萬套全部售罄時大家歡欣鼓舞的笑臉。《傳家》的出版過程是痛苦的，充滿著挑戰與探索，卻是幸福的。誠如任祥老師所説：「祈望我們的心意，能融入善念的大海，永不枯竭，代代相傳。」通過《傳家》，我們不都是在結著善緣嗎？

京劇大師顧正秋説她的小女兒任祥是「花頭很多的孩子」，確實，任祥想法奇妙，總能創造出新奇的花樣來。每到節日，我最盼望的就是收到任祥的禮物，因為，每種禮物都會帶來出其不意的驚喜，最重要的，這些禮物，都是她親手做的。任祥給我説起她設計的仿汝窯燒製的茶壺，我未以為意，但見到實物，我驚呆了，光漂流木製作的壺把就是一個個獨具匠心的藝術品，何況，那瓷器燒製的如此精美，觸感如嬰兒屁股般温潤，茶壺的造型更是驚豔，令人歎為觀止。任祥原來的想法就是，做一套讓外國人羨慕得要死的書，《傳家》的外文版已經開始陸續啟動了，我似乎能想到老外們翻閱《傳家》時瞠目結舌的神情。《傳家》所收錄的連任祥「花頭」十分之一都不到，如果老外們到陽明山《傳家》裡的「家」去看，那眼珠子可真得掉地上了。

其實，《傳家》的意義更在書外。任祥説「人人皆可傳家」，她只是在「拋磚引玉」。當然是她的謙虛，但人人皆可傳家卻是事實。在我的老家山東，就有送客一定要目送客人遠去的傳統，我過去不明白為什麼年邁的父母每次都步履蹣跚把客人送下樓，直到我一次從朋友家出來，鞋帶還沒有繫好，再見還在嘴邊，那房門就「膨」地關上了，我內心感覺冰冷到極點。有時候我們在借鑒拿來西方文明的同時，卻忽略了割裂了我們民族文化的根，往往，祖先給我們留下的，往往才是最珍貴的。人人皆可傳家，代代皆需傳家，民族文化的魂脈，才不至於斷裂。這也許就是姚仁喜、姚任祥夫婦不求所得不辭辛苦所追求的吧。

謝剛

西元二〇一二年十一月

參考書目與資料收集

100道超簡單開胃醬料

101種常用食材健康圖典

101種蔥薑蒜神奇妙用

2步驟燉補超簡單

2009復興商工畢業年鑑

30種最受歡迎麵包配方

36種當紅麵包成功秘方

45種每天必吃路邊攤餅

50種香料作料理

一堂課學會水煎包

人生的起點與終點

人氣餅皮完全收錄

人氣菠蘿麵包

人體學習手冊

三國演義

小言黃帝內經與生命科學

小籠包

上海老味道

上海菜

川菜

中式烹調

中式烹調師實用手冊

中式麵點製作技能

中英對照國際標準針灸穴名簡譯

中國人的生命禮俗

中國古代文學名著

中國古代妝容配方

中國古典名著精華

中國吉祥圖像大觀

中國俗文學

中國風味面點

中國烹飪工藝學

中國造型

中國童話

中國圖書的故事

中國藍夾纈

中國歷史365小百科

中國醫藥食補養生大典

中醫中藥青草藥

中醫藥材常用指南

中藥方劑常用圖典

中藥材食療事典

中藥材速查輕圖典

日本MOA自然農耕

五穀雜糧好吃又健康

北平菜食譜

本草備要表解速讀

本草綱目

世說精華選輯

台灣小吃

台灣小吃DIY

台灣古早味走賣

台灣民間文化藝術

台灣生活日記

台灣好蔬菜

台灣農民曆

台灣蔬果生活曆

四季養生素食

正宗台菜料理

玄奘

玄奘西遊記

白話黃曆

包子

包出好點心

打個蛋作35種料理

用蔬菜做甜點又健康又好吃

名產伴手DIY

名師的蔥抓餅配方

與八個任祥相遇

張立憲

二〇一二年十月份，我和太太來到臺北。這次行程對於我和東道主姚任祥老師來説，都是渴望之極。她迫不及待要與我分享她正在展開的工作，我也同樣見獵心喜。

進到由那棵一百多歲香楠樹蔭庇的姚府，我見到任祥為《傳家》續作所做的貼滿牆壁的文稿和草圖，頓時目瞪口呆。浩如煙海的資料，一絲不苟的繪圖，殫精竭慮的探究，這幾乎是一個大型出版機構才能勝任的工程，不知道一個人的心力怎麼可以完成。而在做這些的同時，她還要打理大元建築事務所龐雜的公司業務，設計各種珠寶、手作、禮品，籌備我們擬走遍中國的《傳家》主題展覽，每天培育菜園裡的幾百株蔬菜，籌畫每一次讓親友滿心歡喜滿眼驚喜的家庭聚會，她周到到為我們安排在臺灣的每一個需要約見的朋友或業務夥伴，也細心到要陪一位剛剛失去親人的長輩打麻將排遣幽思……

我對她説：我似乎看到這幢房子裡，有八個任祥在奔跑忙碌，既有充沛的精力，又有愉悦的心態。

這其中的每一個任祥，都讓人忍不住以為她對周遭的生活既熱愛又享受。

她在《傳家》付梓的後記中説到「因緣俱足」四字，這也是《傳家》在大陸出版時，我內心由衷的感慨。

當你做一件有價值的事情時，自然會有諸多好人善事聚攏過來助你完善圓滿，因此《傳家》一書在任祥的心血栽培下，得以善花結碩果。而《傳家》一書對我的意義則在於，當你認定一件事情有價值時，她自然會在合適的時機與你相遇結緣。這是我編輯職業生涯中最大的榮幸。

二〇一〇年四月底，我通過一檔電視節目，知道了《傳家》這套書，驚豔之餘，做為出版從業人員，自然期盼這樣的好書能夠與我發生某種關聯。沒想到的是，這一夢想最終成真，謝剛社長把這套書簡體中文版的編輯出版任務交給了我。

從出版社領了將令，我馬上扛著臺版《傳家》的「春」卷，去找印刷裝訂業界的好友。我倆坐在北京夏天的馬路邊，呼吸著汽車尾氣，愛不釋手地打開這本書，拆解它的種種印刷裝訂細節。我們得出結論：這是一套很較勁的書，製作難度非常大。這種挑戰讓我既興奮又不安。

很快，我在北京見到作者本尊和姚仁喜老師，聽任祥講述這套書背後的甘苦，探討各種編輯細節，於是開始了我們之間的合作，我有了他們賢伉儷亦師亦友的照拂和指點，而每到歲時節慶，大陸版的編輯團隊也有了寄自臺灣的種種匪夷所思的禮物。

實際上我們做大陸簡體版只是照貓畫虎，有現成的榜樣可資參照，即使如此，也備感不易，屢屢跳票，最終用了將近一年的時間才有了成品。這個過程愈是艱辛，我愈能想像一下臺版的製作難度。要知道臺版是平地起樓，由一個團隊做了五年。

我總結，任祥做這套書，純屬「自討苦吃」。這不僅包含五年皓首窮經的心血，也包括所有這些時間成本、人工成本，以及圖書的物理成本，一概由她承擔，而這套書的所有收入，在不扣除任何成本的情況下，則全部捐給聖嚴法師籌建中的法鼓大學。而針對大陸簡體中文版，任祥則提出要求，希望這套書定價儘量低，能夠讓更多的人買得起，更多的人分享。為實現這一點，她主動放棄了版税收入。

這套書對於我來説，也同樣是「自討苦吃」。除了編印過程中遇到的困難，更大的痛苦是編輯其中的美食部分。我伏案工作的時間多是在深夜，肚子正餓的時候，這些美食躍然紙上，圖片便讓人垂涎欲滴，再加上活色生香的文字描述……人世間的痛苦莫過於此。

　　大概是因為深夜編輯稿件時積累的這些怨念，以及後來跟任祥相處熟了的緣故，我曾經在上海她的一次講座開始前介紹道，別看坐在現場的這位美女明眸善睐，風采照人，聲音嬌柔，但我老懷疑，她內心駐紮著一個男人。

　　是的，任祥的明快，慷慨，周到，堅忍，全域觀，完成度，使她幾乎成為老天欽點的做這套書的不二人選。

　　我們翻閱《傳家》，首先會驚異於其製作的複雜。確實，這套書涵蓋了幾乎所有的裝訂工藝，從製作上來說，稱得上是一套教科書級別的書。但精美的裝幀設計只是其外觀，內核則是任祥對中國人的生活智慧從繁複到清晰的梳理和整合，內容上的難度遠超製作。如書中的若干跨頁，區區一頁，往往涵蓋一個書櫃的內容。並且這些內容是活態的，不光講幾千年中國文化中那些停留在紙上、抱殘守缺的高頭講章，也有實用、時尚的實際操作性，飲食起居滲透到生活的種種細節，可看、可學、可用。

　　我們口口聲聲説不忘歷史，牢記自己的血脈聯繫，卻連父輩的滄桑遭際都漠視。《傳家》書中精美的圖片和繪圖非常吸引讀者的眼球，但全書更耐琢磨的是那些文字部分。那不僅僅是一個母親對兒女們講自己的生活經，能夠流傳下來的壓箱底的小秘密、傳家寶，更有一個中國人對自己家族隱秘基因的探尋與挖掘。任祥寫父母，寫公婆，寫愛人，寫兒女，娓娓道來，情真意切，讓許多為人子女、為人父母者眼中一熱或會心一笑。

　　「桃之夭夭，灼灼其華。」編印《傳家》大陸版時，愛撫它那麼豐盛華美的樣貌，我總是想起《詩經》裡的篇章。大陸版推出之後，因為其超高的性價比，這近一年時間，已經取得了十萬餘套的銷售佳績。「之子於歸，宜其室家。」越來越多的讀者將其帶入家中，與父母分享，與親子共讀。就像任祥的母親顧正秋女士擅長出演的京劇名作《鎖麟囊》一樣，這套書同樣是一個中國母親在自己的兒女長大成人的過程中，傳授給他們的「鎖麟囊」，裡面包含著從自己祖輩積累下來的生活智慧，再代代相傳下去。

　　隨著這套書流傳日廣，以及主題展覽的推廣，我們相信關於《傳家》，關於中國人的生活智慧，會有更多的中國家庭加入到這個行列中，寫出更多版本、更豐富多彩的《傳家》。

　　人人皆可傳家。這才是任祥編著這套書的良苦用心、最大功德。

張立憲

西元二〇一三年三月

あったかおかず

ニッポンの名前　和の暮らしモノ図鑑

文字の美・文字の力

一、本書第25、26、27、29、37、39、40頁

　　文案撰寫：楊昇儒

二、本書第45、47頁

　　文案撰寫：李應平

三、本書第139〜142、147〜150頁之繪畫長軸表彙整：

　　姚任祥　　林宜熹　　陳怡茜

四、本書第215〜218頁分類方式參考武崙國小的詞典網站

　　資料彙整：姚任祥　汪招菁　許貞瑋　邱明心　季季

五、本書資料收集：姚任祥　陳怡茜　許貞瑋　鄭虹伶

　　　　　　　　　賴怡姍　汪招菁　林宜熹　蘇靖惠

國家圖書館出版品預行編目(CIP)資料

傳家. 夏 / 姚任祥作. -- 二版. --臺北市 ： 信
誼基金會, 2013.05
　　面 ； 公分
ISBN 978-986-161-459-5(精裝)

1.風俗 2.中國

538.82　　　　　　　　　　　102001812

著作權人　財團法人大元教育基金會

傳家網址　www.artofchineseliving.com

編　著　姚任祥

作　者　姚任祥

文字整校　季　季

攝　影　劉振祥　姚任祥

執行主編　劉玉貞

插圖繪畫　葉子明

美術設計　段世瑜　陳怡茜　方雅鈴

美術顧問　霍榮齡

場景佈置　姚任祥

傳家團隊　方雅鈴　田瑾文　林宜熹　許貞瑋　葉翠茹
　　　　　陳怡茜　陳碧蘭　蔡孝君　賴怡姍

法律顧問　常在國際法律事務所　林秋琴律師

出版發行　信誼基金會

總 代 理　上誼文化實業股份有限公司

地　　址　台北市重慶南路二段七十五號

電　　話　(02) 2391-3384 (代表號)

網　　址　www.hsin-yi.org.tw

客戶服務　service@hsin-yi.org.tw

郵撥帳號　10424361

戶　　名　上誼文化實業股份有限公司

出版日期　2013年5月

版(刷)次　二版一刷

I S B N　978-986-161-459-5

印　　刷　沈氏藝術印刷股份有限公司